GRAMÁTICA ACTIVA 1

Olga Mata Coimbra   Isabel Coimbra

Membros da equipa pedagógica do

Lidel – edições técnicas, lda

LISBOA — PORTO — COIMBRA
http://www.lidel.pt (Lidel on-line)
e-mail: lidel.fca@mail.telepac.pt

Da mesma Editora:

— **COMUNICAR EM PORTUGUÊS**
Livro de exercícios para desenvolvimento da comunicação oral
Existe CD-áudio de acompanhamento com a gravação de todos os textos

— **DITADOS DE PORTUGUÊS**
Conjunto de duas cassetes áudio + livro de acompanhamento para os Níveis Elementar e Intermédio
Para aperfeiçoamento da compreensão oral

— **BEM-VINDO**
Método para três anos de Português Língua Estrangeira
Componentes de cada nível: Livro do Aluno, Livro de Trabalho, Livro do Professor e CD-áudio

— **PORTUGUÊS SEM FRONTEIRAS**
Curso de Português como Língua Estrangeira em 3 Níveis
Componentes de cada nível: Livro do Aluno, Livro do Professor e um conjunto de cassetes aúdio
Para o Nível 1: Nova Edição, revista e actualizada

— **LUSOFONIA**
Curso Básico de Português Língua Estrangeira
Curso Avançado de Português Língua Estrangeira
Componentes de cada nível: Livro do Aluno, Caderno de Exercícios, Livro do Professor, Cassete áudio

— **VOA...!**
Método para crianças dos 6 aos 10 anos em 3 níveis
Componentes de cada nível: Livro do Aluno, Livro do Professor, Cassete áudio

— **PORTUGUÊS A BRINCAR**
Método de iniciação à Língua Portuguesa para crianças a partir dos 7 anos
Componentes: Livro do Aluno, Livro do Professor, Cassete

— **GUIA PRÁTICO DOS VERBOS PORTUGUESES – 12.000 verbos**
Manual prático de conjugação verbal. Inclui verbos com preposições e particularidades da conjugação do verbo no Brasil

— **VER, OUVIR E FALAR PORTUGUÊS**
Curso de vídeo para iniciação à Língua Portuguesa pedagogicamente organizado de modo a permitir uma auto-
-aprendizagem (versão inglesa disponível em PAL e NTSC, versão francesa disponível em SECAM)

— **PORTUGUÊS AO VIVO**
Textos e exercícios em 3 níveis com respectiva cassete áudio

— **VAMOS LÁ CONTINUAR**
Explicações e exercícios de gramática e vocabulário (níveis intermédio e avançado)

— **LER PORTUGUÊS**
Colecção de histórias originais de leitura fácil e agradável, estruturadas em três níveis

EDIÇÃO E DISTRIBUIÇÃO

Lidel – edições técnicas, lda

ESCRITÓRIO: Rua D. Estefânia, 183, r/c Dto. – 1049-057 Lisboa — Telefs. 21 351 14 42 (Ens. Línguas/Exportação);
21 351 14 46 (Marketing/Formação); 21 351 14 43 (Revenda); 21 351 14 47/9 (Linhas de Autores);
21 351 14 48 (S. Vendas Medicina); 21 351 14 45 (Mailing/Internet); 21 351 14 41 (Tesouraria/Periódicos)
— Fax 21 357 78 27 - 21 352 26 84
LIVRARIAS: LISBOA: Av. Praia da Vitória, 14 – 1000-247 Lisboa — Telef. 21 354 14 18 – Fax 21 357 78 27
PORTO: Rua Damião de Góis, 452 – 4050-224 Porto — Telef. 22 509 79 95 – Fax 22 550 11 19
COIMBRA: Av. Emídio Navarro, 11-2.º – 3000-150 Coimbra — Telef. 239 82 24 86 – Fax 239 82 72 21

Copyright © Abril 2000
LIDEL — Edições Técnicas Limitada
Ilustrador: Carlos Cândido
Pré-impressão: Tipografia Lousanense, Lda.
Impressão e acabamento: Rolo & Filhos
ISBN 972-757-142-5
Depósito Legal n.º 149958/00

Índice

Introdução

A **Gramática Activa 1** destina-se ao ensino do **português como língua estrangeira** ou do **português língua segunda** e cobre as principais estruturas do **nível elementar**.

Sendo um livro com explicações e exercícios gramaticais, não está orientado para ser um curso de Português para Estrangeiros. É um livro que deve ser usado como material suplementar ao curso, na sala de aula ou em casa.

A **Gramática Activa 1** divide-se em 50 unidades, cada uma delas focando áreas específicas da gramática portuguesa, tais como tempos verbais, pronomes, artigos, adjectivos, preposições, etc. O livro não deverá ser trabalhado do princípio ao fim, seguindo a ordem numérica das unidades. Estas devem ser antes seleccionadas e trabalhadas de acordo com as dificuldades do(s) aluno(s).

Cada unidade compõe-se de 2 páginas, contendo a página da esquerda as explicações gramaticais e a página da direita os exercícios correspondentes à(s) estrutura(s) apresentada(s).

No fim do livro há ainda 3 apêndices — lista de verbos regulares e irregulares; plural dos substantivos e adjectivos e pronomes pessoais — bem como a chave dos exercícios.

Unidade 1 Presente do indicativo
verbo **ser**

Eu **sou** médico.
Eu **não sou** enfermeiro.

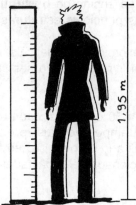

Ele **é** alto.
Ele **não é** baixo.

Nós **somos** portugueses.
Nós **não somos** brasileiros.

ser

afirmativa	
eu	**sou**
tu	**és**
você ele ela	**é**
nós	**somos**
vocês eles elas	**são**

negativa	
eu	não **sou**
tu	não **és**
você ele ela	não **é**
nós	não **somos**
vocês eles elas	não **são**

— Vocês **são** portugueses?

— Eu **sou** português, mas ele **é** timorense.

— **Sou** professor e o meu irmão **é** engenheiro.

— Ela **é** casada.

— **És** de Lisboa?

— Não, **não sou** de Lisboa. **Sou** de Faro.

— O dicionário **é** do professor.

— Que horas **são**?

— **É** uma hora.

— A mesa **é** de madeira.

— Maputo **é** em Moçambique. **É** a capital de Moçambique.

— Eu e a Joana **somos** boas amigas.

— O João **é** muito inteligente.

- nacionalidades

- profissões
- estado civil
- origem (de + substantivo)

- posse (de + substantivo)
- tempo cronológico (horas; dias da semana; datas)

- matéria (de + substantivo)

- situação geográfica (sujeito fixo)
- substantivo
- adjectivo

Unidade 1   Exercícios

1.1. Complete com: **sou / és / é / somos / são**

1. ele _é_____   3. eu_____   5. tu_____   7. você_____   9. eu e tu_____
2. nós_____   4. vocês_____   6. ela_____   8. eles_____   10. tu e elas_____

1.2. Complete com: **sou / és / é / somos / são**

1. A rosa _é___ uma flor.
2. Eu ____ portuguesa e o João ____ brasileiro.
3. A mala ____ muito pesada.
4. Estas malas ____ muito pesadas.
5. Tu e Ana ____ colegas.
6. Que dia ____ hoje?
7. Hoje ____ segunda-feira.
8. A minha avó ____ viúva.
9. Tu ____ bom aluno.
10. O Manuel e a mulher ____ advogados.
11. O copo ____ de vidro.
12. A senhora ____ do Porto?
13. Eu e o Pedro ____ estudantes.
14. Lisboa ____ em Portugal.
15. Ela ____ uma rapariga simpática.

1.3. Faça frases completas com: **sou / és / é / somos / são**

1. (estes exercícios / muito fáceis) _Estes exercícios são muito fáceis._
2. (o futebol / um desporto muito popular) _____
3. (tu / não / espanhol) _____
4. (elas / boas alunas) _____
5. (esta casa / moderna) _____
6. (nós / secretárias) _____
7. (o teste / não / difícil) _____
8. (estes discos / da minha irmã) _____
9. (a minha secretária / de madeira) _____
10. (aquela camisola / não / cara) _____
11. (tu e o Miguel / amigos) _____
12. (eu / magro) _____
13. (a caneta / da Ana) _____

1.4. Faça frases afirmativas ou negativas.

1. (Lisboa / a capital de Portugal) _Lisboa é a capital de Portugal._
2. (eu / alemão) _Eu não sou alemão._
3. (o cão / um animal selvagem) _____
4. (a gasolina / muito cara) _____
5. (o avião / um meio de transporte rápido) _____
6. (Portugal / um país grande) _____
7. (nós / estrangeiros) _____
8. (hoje / quarta-feira) _____
9. (este prédio / muito alto) _____
10. (os Alpes / na Ásia) _____
11. (a minha camisola / de lã) _____
12. (vocês / economistas) _____
13. (esta mala / pesada) _____
14. (tu e ele / amigos) _____
15. (o rio Tejo / em Portugal) _____

Unidade 2 Presente do indicativo
verbo estar

Eu **estou** na escola.   Tu **estás** em casa.   Ela **está** contente.   Ele **está** triste.

Hoje **está** muito frio.   A sopa **está** quente.   Nós **estamos** com fome.   Eles **estão** com sono.

estar

eu	**estou**
tu	**estás**
você ele ela	**está**
nós	**estamos**
vocês eles elas	**estão**

— O dicionário **está** ali.
— Os meus amigos **estão** no estrangeiro.
— O Pedro não **está** em Lisboa.
— **Está** de férias no Algarve.
— O livro **está** em cima da mesa.
— **Está** muito calor lá fora.
— A sopa **está** quente.
— Este bolo não **está** muito bom.
— Hoje **estou** cansado.
— Eles **estão** sentados à mesa.
— A janela **está** aberta.
— **Estou** com sede, mas não **estou** com fome.
— Como **está**?
— **Estou** bem, obrigado.

- advérbio de lugar
- em + local (sujeito móvel)

- tempo meteorológico
- adjectivo (característica temporária)

- com + substantivo (= ter + substantivo)
- cumprimentar

Unidade 2   Exercícios

2.1. Complete com: **estou / estás / está / estamos / estão**

1. tu_____   3. ele_____   5. ela_____   7. eu_____   9. eles_____
2. você_____   4. nós_____   6. vocês_____   8. tu e ela_____   10. eu e ele_____

2.2. Complete com: **estou / estás / está / estamos / estão**

1. O tempo _____ muito bom.

2. Ela _____ em casa, mas os filhos _____ na escola.

3. Como _____ a senhora?

4. _____ bem, obrigada.

5. Eu _____ com frio. Pode fechar a janela, por favor?

6. O dinheiro _____ dentro da carteira

7. Os livros _____ na pasta.

8. Este bolo _____ óptimo.

9. Eles _____ sentados à mesa.

10. Os meus sapatos _____ sujos.

11. O Sr. Matos _____ no Porto.

12. As lojas _____ abertas ao sábado.

13. Ela _____ muito cansada e _____ com sono.

14. Eu e a Ana _____ de férias.

15. O trabalho já _____ pronto.

2.3. Faça frases completas com: **estou / estás / está / estamos / estão**

1. (o médico / no hospital) *O médico está no hospital.* _____
2. (hoje / muito calor) _____
3. (os meus amigos / na escola) _____
4. (eu / na sala de aula) _____
5. (a sopa / não / muito quente) _____
6. (tu / cansado) _____
7. (lá fora / muito frio) _____
8. (o Pedro / deitado / porque / doente) _____
9. (o almoço / pronto) _____
10. (o cão / não / com fome) _____
11. (eu e a Ana / com sono) _____
12. (a D. Graça / não / no escritório) _____
13. (ela / de férias) _____
14. (eles / à espera do autocarro) _____
15. (vocês / não / em casa) _____

Unidade 3   ser vs. estar

— Ele **é** de Lisboa, mas agora **está** no Porto.
— Luanda **é** em Angola. Nós **estamos** em Luanda.

— Os bolos desta pastelaria geralmente **são** óptimos, mas hoje não **estão** muito bons.

— **São** 10 horas da manhã e já **está** tanto calor!

ser e estar seguidos de adjectivo

ser + adjectivo

— A água do mar **é** salgada. _Seh_ _Salty_
— O limão **é** azedo. _Sour_

- característica geral do sujeito que não necessita de ser experimentado para se poder afirmar ou negar essa característica.

estar + adjectivo

— A sopa **está** salgada.
— O leite não **está** bom, **está** azedo.

- característica do sujeito que teve de ser experimentado para se poder afirmar ou negar essa característica.

ser + adjectivo

— O vestido **é** novo.
— Ela **é** loura. _blonde_
— Ele **é** inteligente.

- característica que não é resultado de uma acção.

estar + adjectivo

— O vestido **está** roto (porque alguém o rompeu).
— Hoje **estou** cansado (porque trabalhei muito).

- característica que resultou de uma acção.

Unidade 3   Exercícios

3.1. ser ou estar?

1. O quadro da sala _____ limpo.
2. O pai _____ em casa.
3. Os prédios _____ altos.
4. O banco _____ fechado.
5. Os meus primos _____ do norte.
6. A caneta _____ em cima da mesa.
7. O nosso professor _____ muito simpático.
8. Eu _____ cansada.
9. O João _____ doente.
10. Eles _____ no restaurante.
11. Ela não _____ atrasada.
12. O Pedro _____ um rapaz muito inteligente.
13. A sopa _____ boa, mas _____ fria.
14. A minha casa _____ grande.
15. A Ana e o João _____ em Inglaterra.

3.2. ser ou estar?

1. (hoje nós / não / em casa à noite) _____
2. (eu / cansado) _____
3. (a minha mulher / professora) _____
4. (o João / com fome) _____
5. (tu / atrasado) _____
6. (esta sala / muito escura) _____
7. (eu / não / com sede) _____
8. (ela / de Lisboa) _____
9. (de manhã / muito frio) _____
10. (a Ana / no estrangeiro) _____
11. (as canetas / em cima da mesa) _____
12. (os bolos de chocolate / sempre / muito doces) _____

3.3. ser e estar

1. (a janela / larga // fechada)
   A janela é larga.
   A janela está fechada.
2. (o quadro / muito interessante // na parede)

3. (as mesas / grandes // sujas)

4. (o supermercado / grande // aberto)

5. (o empregado / simpático // cansado)

6. (ele / inteligente // contente)

11

Unidade 4 estar a + infinitivo

Ela **está a ler**.
Ela não **está a comer**.

Está **a chover**.
Não **está a nevar**.

Eles **estão a trabalhar**.
Não **estão a conversar**.

Realização prolongada no presente
estar a + infinitivo

eu	estou	a trabalhar
tu	estás	a estudar português
você ele ela	está	a tomar um café
nós	estamos	a conversar
vocês eles elas	estão	a ler o jornal

▽

passado ← — — — — — — — — — — — — **agora** — — — — — — — — — — — — → futuro

- usamos **estar a + infinitivo** para descrever uma acção que está a acontecer agora, neste momento.

— Podem desligar a televisão. Não **estamos a ver**.

— Chiu! As crianças **estão a dormir**.

— **Estou a estudar**. Não posso ir com vocês.

(ao telefone) — O João não pode atender agora. **Está a tomar** duche.

— A Ana **está a fazer** o almoço.

Unidade 4   Exercícios

4.1. Complete as seguintes frases com os verbos listados:

brincar	tomar	chover	compreender	ver
estudar	beber	fazer	ler	chegar

1. Falem mais baixo! Eles *estão a estudar.* _____
2. A Ana faz anos hoje. A mãe dela _____ um bolo.
3. (ao telefone) — Posso falar com o João, por favor?
   — Ele _____ duche. Não pode atender.
4. Podes desligar a televisão. Eu não _____.
5. Pode explicar outra vez? Nós não _____ o exercício.
6. Despachem-se! O comboio _____.
7. Onde está o Nuno?
   — Na cozinha. _____ água.
8. Posso levar o jornal?
   — Agora não. Eu _____ as notícias.
9. Onde estão as crianças?
   — _____ no jardim.
10. É melhor levar o guarda-chuva. _____.

4.2. O que é que está a acontecer neste momento? Faça frases verdadeiras.

1. (eu / estudar / português) *Eu estou a estudar português.* _____
2. (eu / fumar) *Eu não estou a fumar.* _____
3. (eu / ouvir música) _____
4. (hoje / chover) _____
5. (telefone / tocar) _____
6. (eu / ler o jornal) _____
7. (os meus colegas / fazer exercícios) _____
8. (eu / conversar) _____
9. (eu / tomar café) _____
10. (eu / comer uma banana) _____

4.3. O que é que eles estão a fazer?

1. apanhar sol

2. ver televisão

3. ler um livro

4. escrever uma carta

5. andar de bicicleta

6. atravessar a rua

Unidade 5 — Presente do indicativo
verbos **regulares** em *-ar*

Ela **mora** em Lisboa.

Eles **jogam** ténis ao sábado.

Ele **toma** o pequeno-almoço às 8h.

falar

eu	fal**o**
tu	fal**as**
você ele ela	fal**a**
nós	fal**amos**
vocês eles elas	fal**am**

- Usamos o **presente do indicativo** para:

- **acções habituais**

 — Eu **levanto**-me sempre às 8 horas.
 — Normalmente **almoçamos** às 13h e **jantamos** às 20h30.
 — O Sr. Ramos **compra** o jornal todos os dias.

- **constatar um facto**

 — A terra **gira** à volta do sol.
 — A Ana **fala** inglês muito bem.
 — As crianças **gostam** muito de chocolate.
 — Em Lisboa as lojas **fecham** às 19h00.
 — Ele **trabalha** muito.

- **acções num futuro próximo**

 — **Telefono**-te amanhã.
 — **Fazemos** a festa no próximo fim-de-semana.

Unidade 5   Exercícios

5.1. Escreva os seguintes verbos na forma correcta:

1. falar / eu_____
2. morar / você_____
3. usar / tu_____

4. comprar / ele_____
5. almoçar / nós_____
6. trabalhar / elas_____

7. pagar / vocês_____
8. tomar / eles_____
9. ficar / ela_____

5.2. Complete as frases. Use a forma correcta dos seguintes verbos:

> **levantar / fumar / ficar / ensinar / fechar / morar / gostar**
> **começar / lavar / acabar / usar / jogar / apanhar**

1. Em Portugal os bancos _____ às 15h00.
2. O João _____ 15 cigarros por dia.
3. Nós _____ num pequeno apartamento.
4. Ela é professora e _____ português às crianças da primária.
5. _____ muito do meu trabalho.
6. Eles _____ futebol todos os domingos.
7. Nunca me _____ tarde.
8. Normalmente nós _____ em casa à noite.
9. Ele _____ o carro ao fim-de-semana.
10. O meu filho _____ óculos.
11. Ela _____ sempre o autocarro das 8h.
12. O filme _____ às 21h30 e _____ às 23h00.

5.3. Ponha o verbo na forma correcta.
1. Ela _____ piano muito bem. (tocar)
2. Nós _____ português. (falar)
3. Eu não _____ aos fins-de-semana. (trabalhar)
4. O Pedro _____ de futebol. (gostar)
5. Eles _____ na universidade. (andar)
6. O Pedro e a Ana _____ medicina. (estudar)
7. Depois do almoço eu _____ sempre um café. (tomar)
8. Quem é que _____ a conta? (pagar)
9. Ele _____ aos pais todos os dias. (telefonar)
10. A que horas é que tu _____? (jantar)
11. Onde é que vocês se _____ hoje à noite? (encontrar)
12. Ela _____ bem na nova empresa. (ganhar)
13. As crianças _____ no parque todos os domingos. (brincar)

5.4. Faça frases sobre o Pedro, a Ana e sobre si próprio. Use:

> **sempre / nunca / todos os dias / de manhã / à tarde / à noite / às vezes / normalmente**

1. *O Pedro joga futebol todos os dias.*_____
   Eu_____.
2. O Pedro _____ o jornal.
   Eu_____.
3. A Ana não _____ café à noite.
   Eu_____.
4. Às vezes o Pedro _____.
   Eu_____.
5. A Ana _____ duche de manhã.
   Eu_____.
6. O Pedro nunca _____.
   Eu_____.
7. Normalmente a Ana _____ o autocarro das 8h00.
   Eu_____.

Unidade 6 Presente do indicativo
verbos **regulares** em **-er**

Ele **vive** no Porto.

Eles não **compreendem** nada.

No inverno **chove** muito.

comer

eu	com**o**
tu	com**es**
você ele ela	com**e**
nós	com**emos**
vocês eles elas	com**em**

☞		1ª pessoa do singular
	conhe**c**er	**eu conheço**, tu conheces…
	des**c**er	**eu desço**, tu desces…
	esque**c**er	**eu esqueço**, tu esqueces…
	aque**c**er	**eu aqueço**, tu aqueces…
	pare**c**er	**eu pareço**, tu pareces…
	abran**g**er	**eu abranjo**, tu abranges…
	prote**g**er	**eu protejo**, tu proteges…
	er**gu**er	**eu ergo**, tu ergues…

— Eu **bebo** café de manhã, mas ela **bebe** chá.

— **Conheces** a irmã do Pedro?
— Não, não **conheço**.

— O elevador não **desce**. Está avariado.

— No sul de Portugal **chove** pouco.

— As crianças **aprendem** línguas com facilidade.

— Ele **vive** em Macau.

— **Esqueço**-me sempre do chapéu de chuva na escola.

— Eles **escrevem** aos pais todas as semanas.

6.1. Escreva os seguintes verbos na forma correcta:

1. escrever / você_____
2. compreender / ele_____
3. comer / nós_____
4. conhecer / eu_____

5. beber / tu_____
6. resolver / eles_____
7. descer / ela_____
8. aquecer / eu_____

9. viver / eu_____
10. correr / elas_____
11. aprender / vocês_____
12. esquecer / eu_____

6.2. Complete com os verbos na forma correcta:

1. Ao pequeno-almoço nós _____ (beber) café com leite e _____ (comer) pão com manteiga.
2. Vocês _____ (aprender) português numa escola de línguas?
3. Ela _____-se (parecer) muito com o pai.
4. Eles agora _____ (viver) no Porto.
5. No Verão raramente _____ (chover).
6. Quando ele está de férias _____ (escrever) sempre aos amigos.
7. O texto é difícil. Eu não _____ (compreender) nada.
8. Quando o telefone toca, é o filho que _____ (atender).
9. Tu _____-te (esquecer) sempre do nome dela.
10. Eu _____ (descer) esta rua todos os dias para apanhar o autocarro.
11. Ela não _____ (conhecer) a professora de português.
12. Quem é que _____ (responder) a esta pergunta?

6.3. Responda às seguintes perguntas com o verbo na forma correcta.

1. — Comes pão com manteiga ao pequeno-almoço?
   — *Como.*_____

2. — Bebes café depois do almoço?
   — _____

3. — Resolves sempre os problemas?
   — _____

4. — Conheces o director da escola?
   — _____

5. — Aprendes línguas com facilidade?
   — _____

6. — Vives em Lisboa?
   — _____

7. — Chove muito no teu país?
   — _____

8. — Escreves à família quando estás de férias?
   — _____

9. — Atendes o telefone?
   — _____

10. — Compreendes bem este exercício?
   — _____

11. — Comem uns bolinhos?
   — *Comemos.*_____

12. — Bebem um sumo de laranja?
   — _____

13. — Correm todas as manhãs?
   — _____

14. — Vivem fora de Lisboa?
   — _____

15. — Já conhecem o meu irmão?
   — _____

16. — Compreendem o texto?
   — _____

17. — Descem de elevador?
   — _____

18. — Aprendem bem línguas?
   — _____

19. — Resolvem-me o problema?
   — _____

20. — Recebem muitas cartas?
   — _____

Unidade 7 Presente do indicativo
verbos **irregulares** em *-er*

Ela **vê** televisão
todas as noites.

Ele **lê** o jornal todos os dias.

Ela **faz** o pequeno-almoço
todas as manhãs.

	ver	ler	fazer	dizer	trazer	saber	poder	querer	perder	pôr
eu	*vejo*	*leio*	*faço*	*digo*	*trago*	*sei*	*posso*	quero	*perco*	*ponho*
tu	*vês*	*lês*	fazes	dizes	trazes	sabes	podes	queres	perdes	*pões*
você ele ela	*vê*	*lê*	*faz*	*diz*	*traz*	sabe	pode	*quer*	perde	*põe*
nós	vemos	lemos	fazemos	dizemos	trazemos	sabemos	podemos	queremos	perdemos	*pomos*
vocês eles elas	*vêem*	*lêem*	fazem	dizem	trazem	sabem	podem	querem	perdem	*põem*

— Amanhã **trago**-te um presente.

— A Ana **põe** sempre a mesa para o almoço.

— Eu **faço** anos em Abril e o João **faz** anos em Maio.

— **Querem** mais bolo?
— Eu **quero**, mas ele não **quer**.

— Não **posso** sair, porque tenho de estudar.

— Ele **sabe** falar muitas línguas.

— **Sabem** a que horas é o filme?
— Não, não **sabemos**.

— Eles **dizem** que chegam amanhã.

— **Pode** dizer-me as horas, por favor?
— São 10h15.

— **Lês** bem as legendas, John?
— **Leio**, mas não compreendo tudo.

— Os meus filhos **vêem** muito televisão.

— Às vezes **perco** o autocarro das 8h.

Unidade 7   Exercícios

7.1. Escreva os seguintes verbos na forma correcta:

1. saber / eu _____	6. poder / eu _____	11. ver / eu _____	16. pôr / eu _____
2. trazer / ele _____	7. pôr / ela _____	12. ler / você _____	17. fazer / ela _____
3. ver / eles _____	8. ler / vocês _____	13. fazer / eu _____	18. perder / eu _____
4. dizer / eu _____	9. trazer/ eu _____	14. ler / eu _____	19. ver / elas _____
5. querer / nós _____	10. querer / ela _____	15. pôr / eles _____	20. ler / vocês _____

7.2. Complete as seguintes frases com os verbos listados na forma correcta:

> **pôr / fazer / ver / saber / ler / querer**

1. — _Podes_ _____ sair hoje à noite?
   — Hoje à noite não _posso_ _____. Tenho de estudar.

2. Ao fim-de-semana eles _____ sempre a revista do Expresso.

3. A Ana e o Pedro _____anos em Janeiro.

4. O meu filho está no 1º ano e já _____ ler.

5. Ela usa óculos, porque não _____ bem ao longe.

6. — Quem _____ mais café?
   — Eu _____.

7. — Quem é que _____ a mesa?
   — Ao almoço _____ eu; ao jantar é a Ana que _____.

7.3. Faça frases com o verbo na forma correcta:

1. (ele / querer / outro café) _Ele quer outro café._ _____
2. (eu / nunca / ver / televisão) _____
3. (ela / fazer / anos / hoje) _____
4. (amanhã / eu / fazer / uma festa / em casa) _____
5. (eu / não / saber / o nome / dela) _____
6. (o sr. Ramos / ler / o jornal / todos os dias) _____
7. (eu / trazer / uma prenda / para / a Ana) _____
8. (eu / não / poder / sair / à noite) _____
9. (eles / trazer / os livros / na pasta) _____
10. (eu / ler / o jornal / todos os dias) _____
11. (ela / saber / falar / muitas / línguas) _____
12. (a empregada / trazer / o pão / de manhã) _____
13. (hoje / eu / querer / ficar / em casa) _____
14. (ele / ver / mal / ao longe) _____
15. (eu / já / ler / o jornal / em português) _____
16. (eu / nunca / perder / o chapéu de chuva) _____

Unidade 8 Presente do indicativo
verbos **regulares** e **irregulares** em **-ir**;
verbos em **-air**

Ela **parte** amanhã para Cabo Verde.

Eles **preferem** ir ao cinema.

Ele **vai** para a escola a pé.

Ele não **consegue** estudar com barulho.

Verbos regulares

	abrir
eu	abr**o**
tu	abr**es**
você ele ela	abr**e**
nós	abr**imos**
vocês eles elas	abr**em**

Verbos irregulares

pedir	ouvir	dormir	subir	ir	vir
peço	*ouço/oiço*	*durmo*	*subo*	*vou*	*venho*
pedes	ouves	dormes	sobes	*vais*	*vens*
pede	ouve	dorme	sobe	*vai*	*vem*
pedimos	ouvimos	dormimos	*subimos*	*vamos*	*vimos*
pedem	ouvem	dormem	sobem	*vão*	*vêm*

	1ª pessoa do singular
cons**egu**ir	**eu cons*igo*, tu consegues...**
v**e**stir	**eu v*isto*, tu vestes...**
d**e**spir	**eu d*ispo*, tu despes...**
s**e**ntir	**eu s*into*, tu sentes...**
pref**e**rir	**eu pref*iro*, tu preferes...**
corr**i**gir	**eu corr*ijo*, tu corriges...**

Verbos em -air

	sair	cair
eu tu	**saio** **sais**	**caio** **cais**
você ele ela	**sai**	**cai**
nós	**saímos**	**caímos**
vocês eles elas	**saem**	**caem**

— **Partimos** para Timor na próxima semana.
— Quando estou com frio, **visto** a camisola.
— O professor **corrige** os exercícios amanhã.
— As lojas **abrem** às 10h00.
— Quando chega a casa, ela **despe** o casaco.
— Nós **saímos** da escola às 13h00.
— À noite eles nunca **saem**.

— **Durmo** muito bem. Nunca **oiço** barulho.
— Eles **reunem**-se todos os sábados em casa da Ana.
— **Sentes**-te bem?
— **Sinto**-me cansado.
— Já é tardíssimo, Pedro. **Vais** chegar atrasado.
— **Peço** imensa desculpa pelo atraso.
— Cuidado! Ainda **cais** daí.
— Não **caio** nada!
— Eles **vão** de autocarro para a escola.

Unidade 8   Exercícios

8.1. Escreva os seguintes verbos na forma correcta:

1. abrir / eles _____
2. pedir / eu _____
3. cair / nós _____
4. ouvir / eu _____

5. dormir / eu _____
6. sair / elas _____
7. conseguir / eu _____
8. subir / nós _____

9. sentir / eu _____
10. vestir / tu _____
11. partir / ele _____
12. preferir / eu _____

13. ir / eu _____
14. vir / eles _____
15. ir / nós _____
16. vir / eu _____

8.2. Faça frases com os verbos na forma correcta:

1. (eu / despir / o casaco) *Eu dispo o casaco.*_____
2. (o empregado / servir / o café / à mesa) _____
3. (ela / sair / com / os amigos) _____
4. (o senhor / seguir / sempre / em frente) _____
5. (os bancos / abrir / às 8h30) _____
6. (ela / dividir / o bolo / com / os irmãos) _____
7. (eu / preferir / ficar / em casa) _____
8. (o avião / partir / às 17h00) _____
9. (nós / ir / ao cinema) _____
10. (eu / não / conseguir / estudar / com barulho) _____
11. (eles / vir / de autocarro) _____

8.3. Responda, usando só o verbo da pergunta:

1. — Sentes-te bem?
   — *Sinto.*_____
2. — Consegues estudar à noite?
   — _____
3. — Dormes bem?
   — _____
4. — Vais ao concerto?
   — _____
5. — Sais com os amigos?
   — _____
6. — Pedes desculpa quando te atrasas?
   — _____
7. — Ouves música?
   — _____
8. — Vestes camisolas no Inverno?
   — _____
9. — Vais à festa?
   — _____
10. — Partes amanhã para Díli?
    — _____

11. — Sentem-se bem?
    — *Sentimos.*_____
12. — Sobem de elevador?
    — _____
13. — Vão ao cinema?
    — _____
14. — Ouvem o noticiário?
    — _____
15. — Partem hoje para a Guiné?
    — _____
16. — Conseguem estudar com barulho?
    — _____
17. — Vão à escola?
    — _____
18. — Preferem ficar em casa?
    — _____
19. — Despem os casacos?
    — _____
20. — Saem hoje à noite?
    — _____

Unidade 9 estou a fazer e faço

— O que é que a Ana **está a fazer**?
— A Ana **está a jogar** ténis.

— O que é que ela **faz** todos os sábados?
— Ela **joga** ténis todos os sábados.

— A Ana **está a jogar** futebol?
— **Não**, **não está**. **Está a jogar** ténis.

— A Ana **joga** futebol?
— **Não**, **não joga**. **Joga** ténis.

— Agora não posso sair. **Estou a trabalhar**.
— O João **está a tomar** o pequeno-almoço neste momento.
— É melhor levar o chapéu de chuva. **Está a chover**.
— Podes desligar o rádio. Não **estou a ouvir**.
— **Trabalho** todos os dias das 9h00 às 18h00.
— O João **toma** o pequeno-almoço todas as manhãs.
— No Inverno **chove** muito.
— Normalmente não **oiço** rádio.
— **Estudamos** português todos os dias.

— O que é que **estão a fazer**?
— **Estamos a estudar**.

- Estes verbos só se usam na forma simples:
  querer / gostar / precisar / preferir / saber / esquecer-se / lembrar-se / ir / vir

— **Quer** um café?
— **Gosto** muito de café, mas agora não **quero**, obrigado.

— **Sabes** o nome dela?
— Nunca **sei** o nome dela. **Esqueço-me** sempre.

— **Lembras-te** do nosso professor?
— **Lembro-me** muito bem.

— Agora **prefiro** tomar chá.

— **Preciso** de comprar um dicionário.

— **Vou** para casa agora.

— **Venho** sempre de autocarro.

Unidade 9   Exercícios

9.1. Responda às seguintes perguntas:

1. Sou empregada doméstica.	2. Somos jornalistas.	3. Sou professor.	4. Sou secretária.	5. Somos estudantes.

1. O que é que ela faz todos os dias?
(arrumar / a casa) *Ela arruma a casa todos os dias.*
O que é que ela está a fazer agora?
(lavar / o chão) *Agora está a lavar o chão.*
Ela está a fazer as camas?
Não, não está.

2. O que é que eles fazem?
(fazer / reportagens) _____
O que é que estão a fazer agora?
(entrevistar / um político) _____
Eles estão a escrever um artigo?
Não, _____

3. O que é que ele faz?
(ensinar / português) _____
O que é que ele está a fazer agora?
(corrigir / exercícios) _____
Ele está a explicar os exercícios?
Sim, _____

4. O que é que ela faz?
(escrever / cartas) _____
O que é que ela está a fazer agora?
(atender / o telefone) _____
Ela está a falar com o chefe?
Não, _____

5. O que é que eles fazem?
(estudar / línguas) _____
O que é que eles estão a fazer agora?
(fazer / exercícios) _____
Eles estão a estudar?
Sim, _____

9.2. Complete as frases com o verbo na forma correcta.
1. Desculpe, você *fala* _____ português?(falar)
2. Eles não _____ muito televisão. (ver)
3. Agora eu _____ o almoço. (arranjar)
4. De manhã ela _____ café com leite e _____ pão com manteiga. (beber/comer)
5. Eles _____ futebol ao domingo. (jogar)
6. Hoje é domingo e eles _____ futebol. (jogar)
7. O que é que tu _____ agora? (fazer)
_____ (estudar)
8. Vocês _____ de cinema? (gostar)
_____ muito. (gostar)
9. Podes desligar o rádio. Eu não _____. (ouvir)
10. Ele não pode atender o telefone. _____ duche. (tomar)

Unidade 10 Presente do indicativo
verbo *ter*

Eles **têm** um apartamento em Macau.

Ele **tem** 20 anos.

Ela **tem** frio.

Eles **têm** muitos colegas na escola.

ter

eu	**tenho**
tu	**tens**
você ele ela	**tem**
nós	**temos**
vocês eles elas	**têm**

O sr. Ramos **tem** muito trabalho no escritório.

Tenho dois irmãos. O meu irmão **tem** 18 anos e a minha irmã **tem** 15 anos. Eu **tenho** 21 anos.

A nossa casa é muito grande. **Tem** 6 divisões e **tem** um grande jardim.

— O que é que **tens**?
— **Tenho** calor. Abre a janela, por favor.

— Quem é que **tem** um dicionário?
— **Tenho** eu. Aqui está.

— A Ana e o João **têm** muitos colegas na escola.

— Ela **tem** medo de ratos.

— Nunca **tenho** fome de manhã.

— Ele quer beber água. **Tem** muita sede.

24

Unidade 10   Exercícios

10.1. Complete com o verbo **ter** na forma correcta.

1. eu _____   4. vocês _____   7. ela _____   10. eu e a Ana _____

2. ele _____   5. elas _____   8. eles _____   11. tu e o João _____

3. nós _____   6. tu _____   9. você _____   12. A Ana e o João ___

10.2. Ponha o verbo **ter** na forma correcta.

1. Eles _____ 3 filhos.

2. Nós _____ um apartamento em Lisboa.

3. Ele _____ um carro novo.

4. Quem é que _____ uma caneta vermelha?

5. Eu _____ uma festa no sábado.

6. Hoje já não _____ tempo, mas amanhã falo com vocês.

7. Eles _____ sempre muito trabalho da escola e às vezes _____ dificuldade nos exercícios.

8. Quantos anos _____ (tu)?

   _____ 15 anos.

9. Ela _____ muitos problemas com os filhos. Às vezes já não _____ paciência.

10. Estou cheia de calor e _____ muita sede.

10.3. Responda com o verbo **ter** na forma correcta.

1. — Tens uma caneta preta? (não / ela)

   — *Não, não tenho, mas ela tem.* _____

2. — Tens irmãos? (sim / dois)

   — *Tenho. Tenho dois irmãos.* _____

3. — Vocês têm um dicionário? (Não / ele)

   — _____

4. — A senhora tem filhos? (Sim / três)

   — _____

5. — Tens um apartamento em Lisboa? (Não / eles)

   — _____

6. — Ela tem irmãos? (Sim / quatro)

   — _____

7. — Tem uma borracha? (Não / a Ana)

   — _____

8. — Vocês têm carro? (Sim / dois)

   — _____

9. — O senhor tem um jornal? (Não / ela)

   — _____

10. — Tu e a Ana têm amigos? (Sim / muitos)

    — _____

11. — Tens um lápis? (Não / Pedro)

    — _____

12. — Vocês têm frio? (Não / ele)

    — _____

Unidade 11

Pretérito perfeito simples
verbos **ser / ir / estar / ter**

Ontem à noite eles **foram** ao cinema.

O filme **foi** bom.

No fim-de-semana passado eu **fui** à praia.

No domingo passado eu **estive** com os meus amigos.

Ontem eu **tive** muito trabalho no escritório.

Verbos irregulares

	ser	ir	estar	ter
eu	f**ui**	f**ui**	est**i**ve	t**i**ve
tu	foste	foste	estiveste	tiveste
você ele ela	f**oi**	f**oi**	est**e**ve	t**e**ve
nós	fomos	fomos	estivemos	tivemos
vocês eles elas	foram	foram	estiveram	tiveram

— Na semana passada **estive** doente. **Tive** gripe.
— Agora estou bem: já não tenho febre.

— Tenho aulas todos os dias, mas ontem não **tive** porque o professor **foi** ao médico.

— Ontem **fomos** aos anos do Pedro. A festa **foi** óptima.

— Ele **esteve** uma semana em Moçambique.
— **Foi** lá em negócios. **Foi** uma viagem muito cansativa.

.1. Complete com os seguintes verbos no **p.p.s.**:

ser / eu _____	7. estar / eu _____	13. estar / você _____	19. estar / tu _____
ter / você _____	8. ter / tu _____	14. ir / tu _____	20. ser / tu _____
estar / ele _____	9. ser / nós _____	15. ter / ela _____	21. ir / nós _____
ir / ela _____	10. ir / eu _____	16. ser / vocês _____	22. ter / vocês _____
ser / ele _____	11. ser / eles _____	17. estar / nós _____	23. ir / você _____
ter / eu _____	12. ter / nós _____	18. ter / eles _____	24. estar / eles _____

.2. Responda com os verbos indicados no **p.p.s..** Siga o exemplo:

ser

1. — A viagem **foi** boa?
   — *Foi_____, foi_____* .
2. — As férias foram divertidas?
   — _____, _____ .
3. — O filme foi bom?
   — _____, _____ .

4. — O espectáculo foi interessante?
   — _____, _____ .
5. — O exame foi difícil?
   — _____, _____ .
6. — Foste bom aluno na escola?
   — _____, _____ .

ir

7. — Vocês **foram** à escola?
   — *Fomos_____, fomos_____* .
8. — O senhor foi à reunião?
   — _____, _____ .
9. — Foste à praia?
   — _____, _____ .

10. — Os senhores foram a Sintra?
    — _____, _____ .
11. — O Pedro foi para casa?
    — _____, _____ .
12. — Foste ao cinema?
    — _____, _____ .
13. — Vocês foram ao supermercado?
    — _____, _____ .

ter

14. — O senhor **teve** muito trabalho?
    — *Tive_____, tive_____* .
15. — Vocês tiveram dificuldades com os exercícios?
    — _____, _____ .
16. — Tiveste problemas no banco?
    — _____, _____ .

17. — Teve aulas ontem?
    — _____, _____ .
18. — Tiveste frio de noite?
    — _____, _____ .

estar

19. — Vocês **estiveram** em casa ontem?
    — *Estivemos_____, estivemos_____* .
20. — Ela esteve no escritório?
    — _____, _____ .
21. — Estiveste na festa do Pedro?
    — _____, _____ .
22. — O senhor esteve no Porto?
    — _____, _____ .

23. — Esteve doente?
    — _____, _____ .
24. — A senhora esteve na reunião?
    — _____, _____ .
25. — Estiveram com eles?
    — _____, _____ .

1.3. Escreva frases sobre o **passado**.

. Ele vai de carro para o trabalho.
Ontem _____.
. Vou ao supermercado.
Hoje de manhã _____.
. Vamos ao cinema.
Ontem à noite _____.
. Tenho um teste logo à tarde.
Ontem à tarde _____.
. Ela está doente.
Na semana passada também _____.

6. Estou em casa hoje à noite.
Ontem também _____.
7. O Pedro é um bom aluno.
O irmão também _____ na escola.
8. Eles agora estão no Porto.
No mês passado _____ em Lisboa.
9. Estes exercícios são fáceis.
Os de ontem _____ mais difíceis.
10. A Ana e o Pedro vão a uma festa.
No sábado passado também _____.

Unidade 12 Pretérito perfeito simples
verbos **regulares** em *-ar, -er* e *-ir*

Ontem **trabalhei** das 9h até às 6h da tarde.

Na semana passada ela **escreveu** aos amigos.

Ontem à tarde ele **sentiu-**mal e foi para casa.

Verbos regulares

	-ar	**-er**	**-ir**
	falar	**comer**	**abrir**
eu	fal**ei**	com**i**	abr**i**
tu	fal**aste**	com**este**	abr**iste**
você ele ela	fal**ou**	com**eu**	abr**iu**
nós	fal***ámos***	com***emos***	abr***imos***
vocês eles elas	fal**aram**	com**eram**	abr**iram**

☞	**1ª pessoa do singular**
come**ç**ar	**eu** come**c**ei, tu começaste...
fi**c**ar	**eu** fi**qu**ei, tu ficaste...
pa**g**ar	**eu** pa**gu**ei, tu pagaste...

— Ontem à noite **ficámos** em casa.

— **Comi** tantos chocolates que **fiquei** mal disposto.

— A camioneta para o Porto já **partiu**.

— A Ana **nasceu** no Porto e sempre lá **viveu**.

— Ao jantar **comeram** carne e **beberam** vinho tinto.

.1. Complete com os seguintes verbos no **p.p.s.**:

comprar / ele _____   4. partir / eles _____   7. ficar / eu _____   10. perder / vocês _____

dormir / tu _____   5. nascer / ela _____   8. comer / nós _____   11. começar / eu _____

falar / nós _____   6. pagar / eu _____   9. conseguir / você __   12. abrir / tu _____

.2. Responda às seguintes perguntas usando só o verbo:

. **Falaste** com ele?   *Falei.* _____

. **Ouviste** as notícias?   _____.

. **Compraram** os bilhetes?   _____.

. **Trabalhaste** muito?   _____.

. **Dormiu** bem?   _____.

. **Pagaste** as contas?   _____.

. **Perderam** os documentos?   _____.

. **Tomaste** o pequeno-almoço?   _____.

. **Encontraram** a rua?   _____.

. **Leste** o jornal?   _____.

.3. O que é que a Ana fez no fim-de-semana passado?

	sábado	domingo
manhã	acordar às 10h00 tomar duche tomar o pequeno-almoço às 11h00 ir às compras	dormir até ao meio-dia almoçar fora
tarde	ler o jornal ouvir música	arrumar a casa escrever aos amigos telefonar à avó
noite	jantar fora ir ao cinema com os amigos voltar para casa à meia-noite	ficar em casa ir para a cama cedo

No sábado de manhã a Ana acordou às 10h00. _____

_____

_____

_____

_____

_____

_____

No domingo _____

_____

_____

_____

_____

_____

Unidade 13 Pretérito perfeito simples
verbos **irregulares**; verbos em *-air*

Verbos irregulares

	dizer	trazer	fazer	querer	ver	vir	dar	saber	pôr	poder
eu	disse	trouxe	fiz	quis	vi	vim	dei	soube	pus	pude
tu	disseste	trouxeste	fizeste	quiseste	viste	vieste	deste	soubeste	puseste	pudeste
você ele ela	disse	trouxe	fez	quis	viu	veio	deu	soube	pôs	pôde
nós	dissemos	trouxemos	fizemos	quisemos	vimos	viemos	demos	soubemos	pusemos	pudemos
vocês eles elas	disseram	trouxeram	fizeram	quiseram	viram	vieram	deram	souberam	puseram	puderam

— O Pedro **fez** anos no fim-de-semana passado.

— Os amigos **deram**-lhe os parabéns
e **trouxeram**-lhe presentes.

— Como é que **vieste**?

— **Vim** de autocarro.

— O que é que **fizeste** ontem à noite?

— **Vi** um filme na televisão.

— Ele nunca **quis** estudar línguas.

— **Puseram** os casacos e **saíram**.

— Ontem não **pude** ir com vocês,
porque tinha de estudar.

— O que é que ele **disse**?

— **Disse** que estava muito cansado.

— A minha mãe nunca **soube** falar inglês.

— Ontem à noite não **saí**. Fiquei em casa.

— O meu filho **caiu** e partiu a cabeça.

Verbos em *-air*

	cair	sair
eu	caí	saí
tu	caíste	saíste
você ele ela	caiu	saiu
nós	caímos	saímos
vocês eles elas	caíram	saíram

Unidade 13   Exercícios

13.1. Complete com os seguintes verbos no **p.p.s.**:

1. pôr / eu _____
2. poder / você _____
3. dar / ela _____
4. ver / eu _____

5. fazer / ele _____
6. querer / tu _____
7. vir / eu _____
8. trazer / você _____

9. saber / eles _____
10. ver / nós _____
11. trazer / elas _____
12. pôr / ele _____

13. vir / você _____
14. fazer / eu _____
15. dar / nós _____
16. poder / eu _____

13.2. Complete com os verbos no **p.p.s.**.

1. Os meus vizinhos _____ muito barulho ontem à noite. (fazer)
2. O João não _____ ir ao cinema. (querer)
3. Ela _____ ontem e _____ presentes para todos. (vir, trazer)
4. Ele _____ os óculos para ler o jornal. (pôr)
5. (Eu) não _____ ir com vocês à festa. (poder)
6. Ontem (nós) _____ o professor no café. (ver)
7. O que é que vocês _____ no sábado passado? (fazer)
8. O Pedro e a Ana _____ muito tarde para casa. (vir)
9. Ela _____ muitos erros no ditado. (dar)
10. (Tu) _____ televisão ontem à noite? (ver)
11. Eles não _____ o que aconteceu. (saber)
12. Ele _____-me, mas eu não o _____. (ver)

13.3. Faça frases com os verbos no **p.p.s.**.

1. (ele / **vir** tarde para casa) *Ele veio tarde para casa.* _____
2. (eles / **trazer** presentes para todos) _____
3. (eu / não **poder** ir ao cinema) _____
4. (nós / **ver** um bom filme na TV) _____
5. (ninguém / **fazer** os exercícios) _____
6. (vocês / **saber** o que aconteceu?) _____
7. (os meus amigos / **dar** uma festa no sábado) _____
8. (ela / **querer** ficar em casa) _____
9. (eles / **pôr** os casacos e **sair**) _____
10. (o que é que tu / **fazer** ontem?) _____
11. (vocês / **trazer** os livros?) _____
12. (eu / não **ver** o acidente) _____
13. (o Pedro / não **poder** ir ao futebol) _____
14. (quantos erros / **dar** a Ana na composição?) _____
15. (eu / **vir** de carro para a escola) _____

31

Unidade 14 Conjugação pronominal reflexa; colocação do pronome

Ele **levanta-se** às 8h.

Eles **encontram-se** às 10h no café.

Ela **chama-se** Ana Silva.

Conjugação pronominal reflexa
levantar-se

eu	levanto-*me*
tu	levantas-*te*
você ele ela	levanta-*se*
nós	levantamo-*nos*
vocês eles elas	levantam-*se*

Pronomes reflexos

me
te
se
nos
se

Colocação do pronome

- pronome **depois** do verbo (ordem normal):

— Eu levanto-*me* sempre cedo.
— E tu? Levantas-*te* cedo?

- pronome **antes** do verbo:

Verbos reflexos

Não	*me*	levanto cedo.	levantar-se
Nunca	*se*	deita tarde.	deitar-se
Também	*nos*	sentamos aqui.	sentar-se
Como	*te*	chamas?	chamar-se
Como é que	*te*	chamas?	chamar-se
Já	*se*	lavaram?	lavar-se
Ainda não	*me*	vesti.	vestir-se
Enquanto	*se*	lava, canta.	lavar-se
Todos	*se*	lembram bem dela.	lembrar-se
Ninguém	*se*	deitou tarde ontem.	deitar-se

— **Nunca** *me* lembro do teu número de telefone.

— Vocês deitam-*se* muito tarde?
— Não, deitamo-*nos* sempre cedo.

— Ontem esqueci-*me* do chapéu de chuva na escola.

— Eles **já** *se* encontraram uma vez.

32

Unidade 14   Exercícios

14.1. Coloque correctamente o **pronome**.

1. Eu não *me* levanto _____ tarde.
2. Por favor, _____ sente-*se* _____ aqui, D. Maria.
3. A Ana _____ veste _____ em 5 minutos.
4. À tarde eles _____ encontram _____ sempre no café.
5. Ninguém _____ esqueceu _____ do chapéu de chuva?
6. Como _____ chama _____ a professora?
7. Todos _____ lembram _____ do que aconteceu.
8. Vocês _____ deitam _____ muito tarde?
9. Já _____ lavaste _____?
10. Ainda não _____ lavei _____.

14.2. Responda com o verbo da pergunta.

1. — Eu **levanto-me** às 7h00. E tu?
   — Eu também_____ às 7h00.

2. — A que horas é que **nos encontramos**?
   — _____ às 11h00 no café.

3. — Onde é que **nos sentamos**?
   — Tu _____ aí e eu _____ aqui.

4. — Como é que **se chama** a irmã dela?
   — _____ Ana Silva.

5. — Vocês **deitam-se** muito tarde?
   — Não, _____ sempre cedo.

6. — **Lembras-te** da Ana?
   — _____ muito bem.

7. — Onde é que **se esqueceu** do chapéu?
   — _____ do chapéu no autocarro.

8. — Já **se lavaram,** meninos?
   — Ainda não _____.

9. — **Lembras-te** a que horas é o jogo?
   — Não, não _____.

0. — Ontem **levantaram-se** cedo?
   — Eu _____ às 8h00 e ela _____ às 8h30.

Unidade 15 Pretérito imperfeito do indicativo
aspecto **durativo** e **frequentativo**

Quando **era** pequena,
brincava <u>sempre</u> com bonecas.

1970
<u>Antigamente</u> **viviam** no campo.

Verbos regulares

	-ar	-er	-ir
	falar	comer	abrir
eu	fal**ava**	com**ia**	abr**ia**
tu	fal**avas**	com**ias**	abr**ias**
você ele ela	fal**ava**	com**ia**	abr**ia**
nós	fal**ávamos**	com**íamos**	abr**íamos**
vocês eles elas	fal**avam**	com**iam**	abr**iam**

Verbos irregulares

	ser	*ter*	*vir*	*pôr*
eu	**era**	**tinha**	**vinha**	**punha**
tu	**eras**	**tinhas**	**vinhas**	**punhas**
você ele ela	**era**	**tinha**	**vinha**	**punha**
nós	**éramos**	**tínhamos**	**vínhamos**	**púnhamos**
vocês eles elas	**eram**	**tinham**	**vinham**	**punham**

- Usamos o **imperfeito** para **descrever** ou **narrar** acontecimentos que decorreram no passado, expressando continuidade e duração.

    aspecto durativo ————> <u>Antigamente</u> *moravam* numa vivenda.

- Usamos o **imperfeito** para falar de **acções habituais e repetidas** no passado.

    aspecto frequentativo ——> Depois da escola *faziam* <u>sempre</u> os trabalhos de casa.

Unidade 15　Exercícios

15.1. Complete com os seguintes verbos no **imperfeito**:

1. ser / eu _____
2. ficar / ela _____
3. pôr / você _____
4. andar / tu _____
5. comer / nós _____
6. ter / ele _____
7. ler / eles _____

8. ver / eles _____
9. ir / elas _____
10. ouvir / tu _____
11. fazer / vocês _____
12. vir / eu _____
13. estar / ele _____
14. pedir / nós _____

15. querer / ela _____
16. levantar-se / eu ____
17. escrever / você ____
18. ajudar / tu _____
19. ir / nós _____
20. vir / vocês _____
21. ser / tu _____

15.2. O que é que o Pedro **fazia** quando **andava** no colégio?

Faça frases com os verbos no **imperfeito**.

1. (**levantar-se** às 6h da manhã) _Levantava-se às 6h da manhã._ _____
2. (**fazer** a cama) _____
3. (**arrumar** a roupa) _____
4. (**tomar** duche) _____
5. (depois **descer** até ao 1º andar para tomar o pequeno-almoço) _____
6. (**comer** em silêncio) _____
7. (**assistir** à missa das 7h) _____
8. (**começar** as aulas às 8h) _____
9. (à tarde **fazer** ginástica) _____
10. (das 17h às 18h **estudar** na biblioteca do colégio) _____
11. (às 19h **jantar** na cantina) _____
12. (depois do jantar **conversar** com os amigos e **ver** televisão) _____
13. (cerca das 21h **ir** dormir) _____

15.3. Complete com os verbos no **imperfeito**:

1. Quando eles _____ (ser) crianças, _____ (viver) fora da cidade.
2. Por isso, _____ (levantar-se) muito cedo para ir à escola.
3. _____ (sair) de casa às 7h e _____ (ir) de autocarro até à cidade.
4. Na escola, _____ (ter) aulas das 8h até às 13h.
5. _____ (voltar) para casa, _____ (almoçar) e _____ (ir) fazer os trabalhos de casa.
6. Depois, _____ (brincar) com os amigos no jardim.
7. À noite, _____ (jantar) cedo e em seguida _____ (deitar-se).

35

Unidade 16 costumar (imperfeito) + infinitivo

DANTES ... AGORA

DANTES ... AGORA

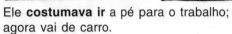

Ele **costumava ir** a pé para o trabalho;
agora vai de carro.

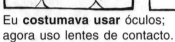

Eu **costumava usar** óculos;
agora uso lentes de contacto.

	Acção habitual no passado	
	costumar (imp.) + infinitivo	
eu	**costumava**	
tu	**costumavas**	
você		**ler**
ele	**costumava**	
ela		**trabalhar**
nós	**costumávamos**	
vocês		**viajar**
eles	**costumavam**	
elas		

Acção habitual

no passado	no presente
Costumávamos viajar muito;	*agora* **viajamos** pouco.
Quando era nova, **costumava viver** em casa dos pais;	*agora* **vive** sozinha.
À sexta-feira à noite **costumava ficar** em casa;	*agora* **saio** sempre.
Naquele tempo **costumava haver** pouco trânsito;	*agora* **há** mais.
Quando morava na cidade, **costumava andar** de carro;	*agora* moro no campo e **ando** a pé.

Unidade 16   Exercícios

16.1. Faça frases com o verbo no **imperfeito** e no **presente do indicativo**.

1. (eles) / levantar-se / cedo - agora / tarde _Costumavam levantar-se cedo; agora levantam-se tarde._
2. (eu) / trabalhar / num escritório - agora / num banco _____
3. Ao domingo / (eles) / ficar / em casa - agora / ir / ao cinema _____
4. (nós) / ter férias / em Julho - agora / em Agosto _____
5. (ele) / ser / muito gordo - agora / magro _____
6. A Ana / estudar / pouco - agora / muito_____
7. O sr. Machado / chegar atrasado - agora / a horas _____
8. (eu) / praticar desporto - agora / não fazer nada _____
9. Aos sábados / (ela) / ir à praça - agora / ao supermercado _____
10. As crianças / brincar em casa - agora / no jardim _____
11. O João / viver com os pais - agora / sozinho _____

16.2. Faça frases com os verbos no **imperfeito**.

1. máquinas de lavar // lavar tudo à mão
   Antigamente não havia máquinas de lavar.
   As pessoas costumavam lavar tudo à mão.
2. aviões // viajar de comboio

3. carros // andar mais a pé

4. telefones // escrever cartas

5. televisão // conversar mais

6. cinema // ir ao teatro

16.3. O que é que eles **costumavam fazer**, quando viviam no campo?

1. (levantar-se cedo) _Costumavam levantar-se cedo._
2. (a mãe / fazer compras / na mercearia local) _____
3. (as crianças / brincar / na rua) _____
4. (à tarde / (eles) / dar passeios de bicicleta) _____
5. (aos domingos / (eles) / fazer um piquenique) _____

Unidade 17 Pretérito imperfeito do indicativo
idade e horas; acções simultâneas

Idade e horas no passado

Tinha 4 anos quando fui ao cinema pela primeira vez.

Era meia-noite quando a festa acabou.

• Usamos o **imperfeito** para indicar a **idade** e as **horas** no **passado**.

Acções simultâneas no passado

Hoje de manhã

<u>Enquanto</u> a Ana **tomava** duche, a irmã **fazia** as camas

• Usamos o **imperfeito** para referir **acções simultâneas** no **passado**.

Enquanto a Ana **tomava** duche,

a irmã **fazia** as camas.

Unidade 17   Exercícios

17.1. Complete as frases com os verbos **ser** ou **ter** no **imperfeito**.

1. — Quantos anos _____ quando foste para a escola?

    — _____ 6 anos. Mas o meu irmão _____ 5 anos.

2. _____ 7 horas quando me levantei.

3. Chegaram muito tarde ontem à noite. Já _____ meia-noite.

4. A minha mãe _____ 18 anos e o meu pai _____ 20 quando se conheceram.

    _____ muito jovens.

5. Ainda não _____ 8 horas quando saímos de casa.

17.2. Faça frases com os verbos no **imperfeito**.

1. (ele / vestir-se // ela / arranjar o pequeno-almoço)

    Enquanto ele se vestia, ela arranjava o pequeno-almoço. _____

2. (os filhos / tomar duche // a mãe / arrumar os quartos)

    _____

3. (eu / ver televisão // ele ler o jornal)

    _____

4. (eles / preparar as bebidas // nós / pôr a mesa)

    _____

5. (ela / estar ao telefone // tomar notas)

    _____

6. (a Ana e o João / estudar // ouvir música)

    _____

7. (a orquestra / tocar // o sr. Ramos / dormir)

    _____

8. (as crianças / brincar // nós / conversar)

    _____

9. (o professor / ditar // nós / escrever os exercícios)

    _____

10. (a empregada / limpar a casa // eu / tratar das crianças)

    _____

Unidade 18 estava a fazer e fiz; imperfeito vs. p.p.s.

  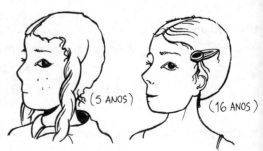

Estava a ler um livro.	O telefone **tocou**.	**Tinha** cabelo comprido e **usava** tranças. **Cortou** o cabelo.

Imperfeito vs. pretérito perfeito simples (p.p.s.)	
imperfeito – acção a decorrer (~) **p.p.s.** – acção pontual (•)	**imperfeito** – descrição de factos **p.p.s.** – acção realizada
A Inês **estava a ler**, ~~~~~~~~~ • ~~~~~~~~~ quando o telefone **tocou**.	Aos 5 anos, **tinha** o cabelo comprido e **usava** tranças. Mais tarde **cortou** o cabelo.

N.B.: O imperfeito representa o presente no passado
O p.p.s. indica uma acção completamente realizada.

p.p.s.	imperfeito
Ontem à noite **21h|- - - - - - - - - - - - - - - -|23h** [Vimos o filme] *(acção completa)* **Começámos** a ver o filme às 21h e **acabámos** às 23h.	Ontem à noite **21h|~~~~~~~~~~~~~~~~~~|23h** [estávamos a ver o filme] *(acção a decorrer)* — O que é que estavam a fazer às 22h30? — **Estávamos a ver** o filme.

— **Estava a ver** televisão quando me **telefonaste**.
— Quando **saímos** de casa, **estava a chover**.
— Ontem **choveu** o dia todo.
— Os alunos **estavam a trabalhar** quando o professor **entrou**.
— Hoje de manhã **vi** a Ana. **Estava a tomar** o pequeno-almoço, no café. **Trazia** um casaco comprido e **calçava** botas altas.

Unidade 18   Exercícios

8.1. Faça frases, usando o **imperfeito** ou o **p.p.s.**.

. (ela / ler o jornal)   *Ela estava a ler o jornal.* _____
   (o telefone / tocar)   *O telefone tocou.* _____
   (ela / atender o telefone)   *Ela atendeu o telefone.* _____

. (o João / dormir) _____
   (a mãe / entrar) _____
   (ele / levantar-se) _____

. (o sr. Pinto / pintar a sala)_____
   (ele / cair do escadote) _____
   (ele / partir o braço) _____

. (eles / jogar no jardim) _____
   (começar a chover) _____
   (eles / ir para casa)_____

. (eu / ouvir música) _____
   (o chefe / chegar) _____
   (eu / desligar o rádio) _____

8.2. Faça frases com os verbos no **imperfeito** e **p.p.s.**.

. (eles / chegar // a empregada / arrumar a casa)
   A empregada estava a arrumar a casa quando eles chegaram. _____
. (O João / tomar duche // o telefone / tocar) _____
. (chover // nós / sair de casa) _____
. (os alunos / trabalhar // o professor / entrar) _____
. (eu / ver televisão // os meus amigos / tocar à porta)_____
. (eles / jogar futebol // começar a chover) _____
. (nós / trabalhar // o computador / avariar-se) _____

8.3. Complete com o **imperfeito** ou **p.p.s.**.

1. *Estava a chover* (chover) quando (eu) *saí*_____ (sair) de casa.
2. O que é que *estavas a fazer* (fazer) quando te *telefonei*_____ (telefonar)?
3. Ontem à noite (eu) não _____ (ter) fome. Por isso, não _____ (comer) nada.
4. A Joana não _____ (estar) em casa quando eu lá _____ (ir).
5. O carteiro _____ (chegar) enquanto nós _____ (tomar) o pequeno-almoço.
6. Eu _____ (estar) atrasado, mas os meus amigos _____ (estar) à espera quando (eu) _____ (chegar).
7. Ele não _____ (ir) à festa. _____ (estar) doente.
8. O que é que vocês _____ (fazer) no fim-de-semana passado? (Nós) _____ (ir) ao cinema.
9. Ontem às 20h (eu) ainda _____ (trabalhar). (Eu) _____ (sair) do escritório às 22h.
0. Quando (nós) _____ (encontrar) a Ana, ela _____ (trazer) um vestido preto.
1. Enquanto (eu) _____ (tomar) café na esplanada, (eu) _____ (ouvir) um grande barulho. (Eu) _____ (levantar-se), _____ (olhar) à volta, mas não _____ (ver) nada.
2. Quando o João _____ (ser) pequeno, (ele) _____ (ser) gordo e _____ (usar) óculos.
3. A irmã dele, ao contrário, _____ (ser) muito magra e não _____ (ter) óculos.
4. Ele _____ (estar) com pressa quando (nós) _____ (falar) com ele.
5. Quando (eles) _____ (vir) para Lisboa, (eles) _____ (ver) um acidente na auto-estrada.

41

Unidade 19 Imperfeito de cortesia; imperfeito com valor de condicional

Queria um café, por favor.

Podia dizer-me as horas, por favor?

Gostava de viver num castelo

- Usamos o **imperfeito**, forma de cortesia, para fazer delicadamente uma afirmação:

   — **Queria** falar com o Dr. Nunes, por favor.

   — Vamos ao cinema?
   — **Preferia** ir ao teatro.

   — **Queria** uma bica e um bolo, se faz favor.

- Usamos o **imperfeito**, forma de cortesia, para fazer delicadamente um pedido:

   — **Podia** dizer-me onde é a Av. da República?

   — **Trazia**-me um copo de água, por favor?

   — **Dizia**-me as horas, se faz favor?

- Usamos o **imperfeito** (=condicional) para expressar um desejo:

   — O meu filho **queria** ser médico.

   — **Gostava** de fazer uma grande viagem.

- Usamos o **imperfeito** (= condicional) para falar de acções pouco prováveis de acontecerem, porqu
  a condição de que dependem não se realiza no presente.

   — Eu **ia** com vocês, mas infelizmente não tenho tempo.

   — Sem a tua ajuda, João, eu não **podia** acabar o trabalho a tempo.

Unidade 19   Exercícios

9.1. Complete as perguntas com o verbo no **imperfeito** (3ª pessoa singular).

*Podia*_____ (poder) dizer-me onde ficam os Correios, por favor?

_____-nos (trazer) a lista, se faz favor?

_____-me (passar) o açúcar, por favor?

_____-me (dizer) as horas, por favor?

_____-me (dar) uma informação, por favor?

9.2. Complete com os verbos no **imperfeito**.

1. A Ana *gostava* (gostar) de tirar um curso nos Estados Unidos.

2. A minha irmã mais nova _____ (querer) ser professora.

3. Eu _____ (ir) com vocês, mas tenho de estudar.

4. Nós não _____ (conseguir) encontrar a rua sem o mapa.

5. Hoje à noite (eu) _____ (preferir) ficar em casa.

6. De metro (tu) _____ (chegar) mais depressa.

7. Os meus filhos _____ (adorar) ir à Eurodisney!

8. Já são 19h. (Eu) _____ (querer) acabar o trabalho às 18h!

9. Ele _____ (ficar) muito contente com o teu telefonema.

10. Com a ajuda do professor _____ (ser) mais fácil resolver o exercício.

11. Com tanto calor _____-me (apetecer) uma cerveja!

12. O João _____ (gostar) de ir à festa no próximo sábado, mas provavelmente não pode.

9.3. Faça frases com os verbos no **imperfeito** (= condicional) e no **presente do indicativo**.

Não tenho tempo. Por isso não vou com vocês.

*Ia com vocês, mas não tenho tempo.*_____

Tenho de estudar. Por isso não vou ao cinema.

_____

Estou a fazer dieta. Por isso não como o bolo.

_____

Eles não podem sair. Por isso não vão à festa.

_____

Não tenho dinheiro. Por isso não faço a viagem.

_____

O café faz-me mal. Por isso não tomo um café.

_____

43

Unidade 20 Pretérito mais-que-perfeito composto do indicativo

O comboio partiu.

Nós chegámos à estação.

O comboio já **tinha partido** quando nós chegámos à estação.

ter (imperfeito) + particípio passado

eu	tinha	
tu	tinhas	
você		**chegado**
ele	tinha	
ela		**estado**
nós	tínhamos	
vocês		**ido**
eles	tinham	
elas		

- Usamos o **pretérito mais-que-perfeito composto do indicativo** para falar de acções passadas qu aconteceram antes de outras também passadas:

```
          passado              presente
- - - - - -|- - - - - -|- - - - - - - - - - - - -|- - - - -
      tinhas saído   telefonei-te
```

— Ontem telefonei-te, mas tu já **tinhas saído**.

— Quando eu cheguei à festa, o João já **tinha ido** para casa.

★ **Particípio passado regular:**

	Verbos terminados em:		
	-ar	**-er**	**-ir**
Infinito	fala~~r~~	come~~r~~	parti~~r~~
Particípio passado	fal**ado**	com**ido**	part**ido**

★ **Particípio passado irregular:**

abrir	*aberto*	ganhar	*ganho*	pôr	*posto*
dizer	*dito*	gastar	*gasto*	ver	*visto*
escrever	*escrito*	limpar	*limpo*	vir	*vindo*
fazer	*feito*	pagar	*pago*		

Unidade 20   Exercícios

20.1. Complete com os verbos no **pretérito mais-que-perfeito composto**.

1. Não estavas em casa. (sair)
   Já _tinhas saído._

2. O bebé não estava com fome. (comer)
   Já _tinha comido_

3. Eles já não estavam em Portugal. (voltar para França)
   Já _tinham voltado para frança_

4. A Ana estava no hospital. (ter um acidente)
   Tinha tido um acidente

5. Ele não estava cansado. (dormir 12 horas)
   Ele tinha dormido 12 horas

6. Não fui à festa. (combinar ir ao concerto)
   Já _tinha combinado ir ao concerto_

7. O sr. Silva não sabia inglês. (aprender)
   Nunca _tinha aprendido_

8. Não fomos ao cinema. (ver o filme)
   Já _tinhamos visto o filme_

9. Ela estava muito nervosa. (andar de avião)
   Nunca _tinha andado de avião_

10. Já não havia barulho. (as crianças ir para a cama)
    As crianças tinham ido para a cama

20.2. Complete com os verbos no **pretérito mais-que-perfeito composto** e no **p.p.s.**.

Quando eu _cheguei_ (chegar) a casa, a minha mãe já _tinha saído_ (sair).
O filme já _tinhamos começado_ (começar) quando nós _tinhamos entrado_ (entrar) na sala.
Quando eu me _levanto_ (levantar), a empregada _tinha arrumado_ (arrumar) tudo.
Nós já _tinhamos acabado_ (acabar) de jantar quando tu _tinha telefonado_ (telefonar).
Quando nós _tinhamos encontrado_ (encontrar) o João, ele já _tinha falado_ (falar) com a Ana.

20.3. Complete com os verbos no **pretérito mais-que-perfeito composto** ou no **p.p.s.**.

Não tenho fome. Já _almocei_ (almoçar).
Ele não tinha fome. Já _tinha almoçado_ (almoçar).
Eles estavam muito cansados. Não _____ (dormir) nada.
Porque é que estás cansado? Não _____ (dormir)?
Peço desculpa pelo atraso, mas _____ (ter) um acidente com o carro.
Encontrei a Ana no hospital. Ela _____ (ter) um acidente com o carro.
Estou muito nervoso. Nunca _____ (andar) de avião.
Ele estava muito nervoso. Nunca _____ (andar) de avião.

Unidade 21 Pretérito perfeito composto do indicativo

Ultimamente **tenho trabalhado** muito.

Desde que a escola abriu **têm tido** muitas inscrições.

ter (presente) + particípio passado

eu	tenho	
tu	tens	
você		**falado**
ele	**tem**	
ela		**ido**
nós	**temos**	
vocês		**visto**
eles	**têm**	
elas		

- Usamos o **pretérito perfeito composto do indicativo** para falar de acções que começam no passado e se prolongam até ao momento presente.

passado   presente

Desde que o bebé nasceu, ela **tem dormido** mal.

— Este ano **têm estudado** mais do que no ano passado.

— A Ana não vem trabalhar. **Tem estado** doente.

— Este ano **tem chovido** pouco.

— **Tens falado** com o João?
— Não. Não o **tenho visto**.

— Nestes últimos tempos o número de turistas no nosso país **tem aumentado**

★ Colocação dos pronomes

Quando o verbo principal está no **particípio passado**, o pronome coloca-se antes ou depois do auxiliar consoante a regra (unidade 14).

— Ultimamente eles têm-se encontrado muito.
— Ultimamente eles não se têm encontrado.

Unidade 21   Exercícios

1.1. Complete com os verbos no **pretérito perfeito composto**.

1. — (Tu) *Tens visto* (ver) a nova série da televisão?
   — Não. (Eu) *Tenho tido* (ter) muito trabalho ultimamente.
2. Ele não _____ (ir) à escola. _____ (estar) doente.
3. Estou mais gorda. _____ (ter) muito apetite.
4. Ultimamente nós não _____ (ir) ao cinema. Queres ir hoje?
5. Com o frio que _____ (fazer), eles não _____ (sair) de casa.

1.2. Faça frases com os verbos no **pretérito perfeito composto**.

1. (ela / faltar às aulas)
   Ela tem faltado às aulas. _____
2. (eu / não / falar com eles / ultimamente)
   _____
3. (vocês / encontrar / o João?)
   _____
4. (ele / não / vir trabalhar)
   _____
5. (a tua equipa / ganhar muitos jogos?)
   _____
6. (nós / perder / quase todos os jogos)
   _____
7. (o tempo / estar óptimo)
   _____
8. (eles / ir à praia / todos os dias)
   _____
9. (nestes últimos anos / eu / não / ter férias)
   _____
0. (o meu marido / trabalhar muito)
   _____

1.3. Complete com o **pretérito perfeito composto** e o **p.p.s.**.

1. Desde que a escola _abriu_____ (abrir), _têm tido_____ (ter) muitas inscrições.
2. Ela não _____ (descansar) nada desde que o bebé _____ (nascer).
3. Desde que eu _____ (ir) ao médico, _____ (estar) melhor.
4. Desde que as férias _____ (acabar), eles _____ (ter) muito trabalho.
5. Eu não _____ (ver) a Ana desde que ela _____ (ficar) doente.
6. Desde que eles _____ (comprar) a vivenda, _____ (dar) muitas festas.
7. Desde que o Verão _____ (começar), _____ (fazer) imenso calor.
8. Desde que eu _____ (mudar) de casa, não _____ (encontrar) os meus amigos.
9. Nós não _____ (ir) ao cinema desde que _____ (casar-se).
0. Ela _____ (vir) de metro desde que a nova estação _____ (abrir).

Unidade 22 vou fazer, estou a fazer e acabei de fazer

Ela **vai fazer** o jantar.

Ela **está a fazer** o jantar.

Ela **acabou de fazer** o jantar.

Futuro próximo

	ir + infinitivo	
eu	**vou**	
tu	**vais**	
você		**comer**
ele	**vai**	
ela		**estudar**
nós	**vamos**	
vocês		**partir**
eles	**vão**	
elas		

Realização prolongada no presente

	estar a + infinitivo		
estou			
estás			
			falar
está			
		a	**ler**
estamos			
			ver
estão			

Passado recente

	acabar de + infinitivo		
acabei			
acabaste			
			chegar
acabou			
		de	**sair**
acabámos			
			vir
acabaram			

— Aonde vais?
— **Vou comprar** bilhetes para o cinema.

— O que é que a Ana **está a fazer**?
— **Está a pôr** a mesa.

— O Pedro já saiu?
— Já. **Acabou de sair**.

— Já são 9 horas e ainda não estás pronta.
— Pois não. **Vou chegar** atrasada.

— Ele está muito cansado. **Acabou de chegar** de viagem.

— Afinal não **vamos comprar** o carro.

— **Estás a fazer** muito barulho. Eles **estão a estudar**.

— **Vais convidar** o João para a festa?

— Eles **acabaram de entrar**. Ainda não despiram os casacos.

— Ontem ele foi visitar a igreja. Amanhã **vai visitar** o museu.

— Vou a pé para casa. O último autocarro **acabou de partir**.

Unidade 22   Exercícios

2.1. Faça frases com: **ir + infinitivo**, **estar a + infinitivo**, **acabar de + infinitivo**.

. eu / ler o jornal

Eu vou ler o jornal.

Eu estou a ler o jornal.

Eu acabei de ler o jornal.

. ela / fazer os exercícios

_____

_____

. o João / tomar duche

_____

_____

. Eu e a Ana / pôr a mesa

_____

_____

. eles / falar com o professor

_____

_____

_____

2.2. Faça perguntas e dê as respostas.

. (vocês / fazer / logo à noite)
(ver o filme da televisão)

O que é que vocês vão fazer logo à noite?

Vamos ver o filme da televisão.

. (a Ana / fazer / depois das aulas)
(jogar ténis)

_____

_____

. (tu / fazer / logo à tarde)
(estudar português)

_____

_____

. (nós / fazer / amanhã de manhã)
(fazer compras)

_____

_____

. (vocês / fazer / no próximo fim-de-semana)
(passear até Sintra)

_____

_____

2.3. Responda às seguintes perguntas.

. Quando é que voltaste? (chegar)

Acabei de chegar.

. Chegaram há muito tempo? (entrar)

_____

. O Pedro já acordou? (levantar-se)

_____

. Ela já está pronta? (vestir-se)

_____

. Quando é que eles voltaram? (chegar)

_____

Unidade 23 Futuro imperfeito do indicativo

Ele tem 18 anos. No próximo
ano **terá** 19 anos.

Elas viajam muito. Amanhã
às 10h **estarão** em Paris.

Verbos regulares

	falar
eu	falar**ei**
tu	comer**ás**
você ele ela	partir**á**
nós	voltar**emos**
vocês eles elas	ficar**ão**

Verbos irregulares

dizer	fazer	trazer
direi	farei	trarei
dirás	farás	trarás
dirá	fará	trará
diremos	faremos	traremos
dirão	farão	trarão

— O Presidente **partirá** às 9h e **chegará** às 11h30 a Londres.

— Este ano no Verão fomos para Espanha. No próximo ano **iremos** para Cabo Verde.

— Ela diz que o médico **virá** por volta das 17h.

— **Terei** muito gosto na vossa visita.

— O João diz que **trará** presentes para todos.

— Ela tem medo de andar de avião. Diz que nunca **andará** de avião.

- Também usamos esta forma de **futuro** em frases **interrogativas** para exprimir **incerteza/des**
conhecimento sobre situações presentes.

— Vamos hoje para o Porto. **Será** que está frio?

— Estão a tocar à campainha. Quem **será**?

— A Joana estuda muito, mas **passará** no exame?

— Ele não veio trabalhar. **Estará** doente?

50

Unidade 23   Exercícios

23.1. Complete com os seguintes verbos no **futuro**:

1. ir / eu _____
2. ter / tu _____
3. viajar / você _____
_____
4. partir / ele _____
5. fazer / eu _____
6. dizer / nós _____
7. trazer / ela _____
8. ser / eles _____
9. vir / vocês _____
10. sair / eu _____
11. falar / tu e eu ___
_____
12. comer / eu e ela
_____
13. ouvir / elas _____
14. ver / tu _____
15. pôr / você _____
16. poder / eu _____

23.2. A Joana é hospedeira e viaja muito. Faça frases com os verbos no **futuro**.

1. (amanhã às 10h / partir para Madrid)
   Amanhã às 10h partirá para Madrid. _____

2. (ficar lá dois dias)
   _____

3. (no dia 18 / chegar a Paris)
   _____

4. (cinco dias depois / viajar para Viena)
   _____

5. (de Viena / ir para Roma)
   _____

6. (no dia seguinte / partir para Atenas)
   _____

23.3. Complete com os verbos no **futuro**.

1. Não fumo nem nunca *fumarei.* _____
2. Ele não é bom aluno nem nunca _____
3. Não falo com ela nem nunca _____
4. Não gosto de teatro nem nunca _____
5. Não faço isso nem nunca _____

23.4. Complete as frases com os verbos no **futuro**:

1. Esta semana o Presidente *iniciará* _____ (iniciar) a habitual visita pelo país.
2. O Presidente _____ (começar) amanhã a sua viagem por Portugal. Primeiro _____ (visitar) o norte.
3. Depois, _____ (estar) na região centro durante uma semana.
4. Finalmente _____ (ir) para o sul, onde _____ (ficar) cerca de cinco dias.
5. Na próxima semana _____ (ter) encontros com os dirigentes da Madeira e dos Açores.

23.5. Complete as frases interrogativas com os verbos no **futuro**.

1. Hoje está muito frio. _____ (ser) que vai nevar?
2. O professor não vem às aulas. _____ (estar) doente?
3. O telefone está a tocar. _____ (ser) o Pedro?
4. Eles têm estudado muito, mas _____ (passar) no exame?
5. É meia-noite. O café ainda _____ (estar) aberto?

Unidade 24 Condicional presente

Esta casa é maravilhosa.
Não me **importaria** nada.
de viver aqui

Ele abriu uma pequena loja em 1988.
Dois anos mais tarde **seria** dono de uma
grande cadeia de supermercados.

Verbos regulares

	falar
eu	falar**ia**
tu	falar**ias**
você ele ela	falar**ia**
nós	falar**íamos**
vocês eles elas	falar**iam**

Verbos irregulares

dizer	fazer	trazer
diria	faria	traria
dirias	farias	trarias
diria	faria	traria
diríamos	faríamos	traríamos
diriam	fariam	trariam

- Usamos o **condicional** para:

  - falar de acções pouco prováveis de acontecerem porque a condição de que dependem não se realiza no presente; *

  - expressar desejos; *

  - formular pedidos (forma de cortesia); *

  - sugerir; *

  - indicar acções posteriores à época de que se fala (mais comum na linguagem escrita).

    — **Gostaria** de ir com vocês, mas infelizmente não posso.

    — **Daria** tudo para não ter exame amanhã.

    — **Poderia** dizer-me as horas, por favor?

    — **Deveríamos** convidar os pais, não achas?

    — Começou como ajudante e mais tarde **seria** promovido a chefe.

* **N.B.:** Nestes casos o **condicional** pode ser substituído pelo **pretérito imperfeito do indicativo**, forma mais coloquial.

Unidade 24   Exercícios

24.1. Complete com o verbo no **condicional**.

1. dar / nós _____
2. ser / tu _____
3. fazer / ele _____
4. poder / você _____
5. ir / eu _____
6. ler / você _____
7. trazer / tu _____
8. estar / ela _____
9. ver / eles _____
10. dizer / nós _____
11. vir / você _____
12. falar / eu _____
13. ter / tu e a Ana ____
14. pôr / ela _____
15. ouvir / vocês _____
16. chegar / eu e tu ___

24.2. Substitua os verbos no *imperfeito* pelo **condicional**.

1. Nós *íamos* ao cinema, mas infelizmente não temos tempo.
   Nós iríamos ao cinema, mas infelizmente não temos tempo. _____
2. *Dava* tudo para ter um autógrafo dela.
   _____
3. *Podia* dar-me uma informação?
   _____
4. Vocês *deviam* falar com o médico.
   _____
5. Eu *gostava* de trocar de carro.
   _____
6. De táxi *era* mais rápido.
   _____
7. Sem a ajuda dos amigos, a casa não *estava* pronta.
   _____
8. *Podíamos* ir a um restaurante chinês.
   _____
9. Ela *adorava* morar perto da praia.
   _____
10. Não *era* melhor comprar já os bilhetes?
    _____
11. Eu não me *importava* de fazer o trabalho, mas hoje não posso.
    _____

24.3. Complete com os verbos no **condicional**.

1. Fiz isso e *faria* _____ outra vez.
2. Fui a casa deles e _____ outra vez.
3. Paguei o jantar e _____ outra vez.
4. Gastei o dinheiro todo e _____ outra vez.
5. Falei com o chefe e _____ outra vez.
6. Fui empregada doméstica e _____ outra vez.
7. Já vi o filme e _____ outra vez.
8. Li o livro todo e _____ outra vez.
9. Disse mal deles e _____ outra vez.
10. Contei o segredo à Ana e _____ outra vez.

Unidade 25 Artigos definidos e indefinidos

— **O** Pedro tem **uma** irmã.
— **A** irmã do Pedro chama-se Ana.
— **O** sr. Ramos comprou **um** carro novo.
— **O** carro d**o** sr. Ramos tem ar condicionado.
— **Os** livros estão n**a** estante.
— **As** colegas d**a** Joana vão a**o** cinema.
— Encontrei **uns** óculos n**o** café.

Artigos definidos		
	masculino	feminino
singular	*o*	*a*
plural	*os*	*as*

Artigos indefinidos		
	masculino	feminino
singular	*um*	*uma*
plural	*uns**	*umas**

* No plural tem uso restrito.

• O **artigo, definido** e **indefinido,** precede o substantivo e concorda com ele em género e número.

• Usamos o **artigo definido** com:

• **nomes próprios:** A Carolina e o Diogo são amigos

• **estações do ano:** O Verão é a estação mais quente do ano.

• **datas festivas:** Eles passam o Natal e a Páscoa com a família.

• **continentes:** Portugal é o país mais ocidental da Europa.

• **nomes de países:** O Brasil; os Estados Unidos; a Guiné Bissau; a Suíça, etc.

• **alguns nomes de cidades:** O Rio de Janeiro; o Porto, o Funchal, etc.

• **possessivos:** Este é o meu livro, o teu está ali.

• **Não** usamos o **artigo definido** antes de:

• **meses:** Estamos em Janeiro.

• **datas:** É dia 1 de Janeiro.

• **vocativos:** Olá Pedro!

• **alguns nomes de países:** Portugal, Angola, Moçambique, Cabo Verde, São Tomé e Príncipe, Marrocos, Israel, etc.

• **nomes de cidades:** Lisboa, Paris, Londres, Madrid, Maputo, Luanda, Macau, Nova Iorque, etc.

Unidade 25   Exercícios

25.1. Complete com os **artigos definidos**.

1. _o_ lápis	11. _o_ homem	21. _o_ pai	31. _as_ calças
2. ___ canetas	12. ___ mulher	22. ___ mãe	32. ___ casaco
3. ___ borracha	13. ___ senhor	23. ___ filho	33. ___ saia
4. ___ livros	14. ___ senhora	24. ___ filha	34. ___ vestido
5. ___ pasta	15. ___ rapaz	25. ___ irmão	35. ___ camisa
6. ___ cadeiras	16. ___ rapariga	26. ___ irmã	36. ___ sapatos
7. ___ mesa	17. ___ menino	27. ___ tio	37. ___ blusa
8. ___ quadro	18. ___ menina	28. ___ tia	38. ___ lenço
9. ___ janelas	19. ___ amigo	29. ___ avô	39. ___ gravata
10. ___ porta	20. ___ amiga	30. ___ avó	40. ___ cinto

25.2. Complete com os **artigos indefinidos**.

1. _uma_ árvore	4. ___ casa	7. ___ país	10. ___ viagem
2. ___ rua	5. ___ apartamento	8. ___ cidade	11. ___ passeio
3. ___ carro	6. ___ vivenda	9. ___ vila	12. ___ férias

25.3. Complete com os **artigos definidos** ou **indefinidos**.

1. Lisboa é _uma_ cidade bonita.
2. Nunca visitei _____ Ásia.
3. Tenho _____ avó com 90 anos.
4. _____ Primavera é a estação das flores.
5. Onde é que vais passar _____ o Carnaval?
6. Podia dar-me _____ informação, por favor?
7. Eles foram de férias para _____ Brasil.
8. _____ Pedro e _____ Ana são amigos.
9. Escrevi _____ carta ao Pedro, mas ele não recebeu _____ minha carta.
10. Portugal é _____ país da Comunidade Europeia.
11. Comprei _____ calças e _____ sapatos em saldo.
12. _____ férias grandes estão a chegar.
13. Hoje vamos a _____ restaurante chinês.
14. Eles têm dois filhos: _____ rapaz e _____ rapariga.
15. _____ rapaz chama-se Miguel e _____ rapariga chama-se Margarida.
16. Queria _____ café, por favor.

Unidade 26 — Demonstrativos invariáveis; advérbios de lugar

- ***Isto**, **isso**, **aquilo*** são **demonstrativos invariáveis** e usam-se para pedir a identificação de objectos ou para identificar objectos.

Isto	é	um livro
		uma caneta
	são	livros
		canetas

— O que é **isto**?
— **Isso** é um livro.

Isso	é	um livro
		uma caneta
	são	livros
		canetas

— O que é **isso**?
— **Isto** é uma caneta.

Aquilo	é	um livro
		uma caneta
	são	livros
		canetas

— O que é **aquilo**?
— **Aquilo** é um carro.

- **Isto** está perto da pessoa que fala (**eu**).
- **Isso** está perto da pessoa com quem se fala (**tu**).
- **Aquilo** está afastado do **eu** e do **tu.**

- **Aqui, aí, ali** são **advérbios** que indicam o **lugar** e podem ser usados com os demonstrativos.

  - **Aqui** indica que o objecto está perto da pessoa que fala (**eu**).
  - **Aí** indica que o objecto está perto da pessoa com quem se fala (**tu**).
  - **Ali** indica que o objecto está afastado do **eu** e do **tu**.

Unidade 26   Exercícios

26.1. Complete com **isto**, **isso**, **aquilo**.

1. _Isto_____ aqui é um livro.
2. _____ aí é uma cadeira.
3. _____ ali é uma porta.
4. _____ aí são canetas.
5. _____ ali é o quadro.
6. _____ aqui é o dicionário de português.

7. _____ aqui é uma pasta.
8. _____ ali é a escola.
9. _____ aqui são lápis.
10. _____ aí é uma borracha.
11. _____ aqui são livros.
12. _____ aí é uma janela.

26.2. Complete as respostas com **isto**, **isso**, **aquilo**.

1. — O que é **isto**?
   — _Isso_____ é um lápis.
2. — O que é **aquilo**?
   — _____ são dicionários.
3. — O que é **isso**, Ana?
   — _____ são os livros de português.
4. — O que é **aquilo** ali?
   — _____ são cassetes.
5. — O que é **isto**?
   — _____ é uma borracha.
6. — O que é **aquilo**?
   — _____ é a porta.

7. — O que é **isso** aí?
   — _____ é uma cadeira.
8. — O que é **aquilo** ali?
   — _____ é a escola.
9. — O que é **isto** aqui?
   — _____ são óculos.
10. — O que é **isso**?
    — _____ são canetas.
11. — O que é **isto**?
    — _____ é o quadro da sala.

26.3. Complete as respostas. Use **isto**, **isso**, **aquilo**, o _presente do indicativo_ do verbo **ser** e os **artigos definidos** e **indefinidos**.

1. — O que é isto? (livro)
   — _Isso é um livro._____
2. — O que é aquilo? (escola de português)
   — _____.
3. — O que é isto? (quadro da sala)
   — _____.
4. — O que é isso? (borracha)
   — _____.
5. — O que é isto? (canetas)
   — _____.

6. — O que é isto? (livros)
   — _Isso são livros._____
7. — O que é isso? (janela)
   — _____.
8. — O que é isto? (dicionário)
   — _____.
9. — O que é aquilo? (pasta do professor)
   — _____.
10. — O que é isso? (caneta)
    — _____.

Unidade 27 — Demonstrativos variáveis

neste
em + este.
= neste.

singular		plural	
masculino	feminino	masculino	feminino
este livro	**esta** caneta	**estes** livros	**estas** canetas
esse livro	**essa** caneta	**esses** livros	**essas** canetas
aquele livro	**aquela** caneta	**aqueles** livros	**aquelas** canetas

- **Este**, **esse**, **aquele**, etc. usam-se com os substantivos ou substituem os substantivos a que se referem.
- **Este**, **esse**, **aquele**, etc. concordam em género e número com os substantivos a que se referem.
- **Este** (+substantivo) indica que o objecto está perto da pessoa que fala (**eu**).
- **Esse** (+substantivo) indica que o objecto está perto da pessoa com quem se fala (**tu**).
- **Aquele** (+substantivo) indica que o objecto está afastado do **eu** e do **tu**.

— **Este** hotel é caro. **Aquele** é mais barato e também é bom.

— Quem é **aquela** rapariga?

— Desculpe, **esta** é a Av. da República?

— **Essa** caneta não escreve. Usa **esta**.

— **Esses** sapatos são novos?
— Não. Já comprei **estes** sapatos no mês passado.

— **Este** quadro é bonito, não achas Ana?
— **Aquele** ali é mais bonito.

7.1. Complete com **este**, **esta**, **estes** ou **estas**.

estas pessoas	4. _____ casa	7. _____ sala	10. _____ mulher
. _____ rapaz	5. _____ árvores	8. _____ quadro	11. _____ professor
. _____ carro	6. _____ óculos	9. _____ livros	12. _____ raparigas

7.2. Complete com **esse**, **essa**, **esses** ou **essas**.

esse dicionário	4. _____ bolos	7. _____ escola	10. _____ flores
. _____ canetas	5. _____ homem	8. _____ cadeiras	11. _____ rua
. _____ café	6. _____ calças	9. _____ apartamento	12. _____ jardim

7.3. Complete com **aquele**, **aquela**, **aqueles** ou **aquelas**.

aquelas crianças	4. _____ alunos	7. _____ caneta	10. _____ país
. _____ bicicleta	5. _____ borrachas	8. _____ pássaros	11. _____ cidades
. _____ táxi	6. _____ filme	9. _____ lugar	12. _____ viagem

7.4. Complete com **este**, **esse**, **aquele**, etc.

. — O que é isto? (bolo / de chocolate)

— Isso é um bolo. _Esse bolo é de chocolate._ _____

. — O que é aquilo? (flores / artificiais)

— Aquilo são flores. _____

. — O que é isso? (presente / para o professor)

— Isto é um presente. _____

. — O que é isto? (óculos / da Ana)

— Isso são óculos. _____

. — O que é aquilo? (supermercado / novo)

— Aquilo é um supermercado. _____

7.5. Complete com **este(s)**, **esta(s)**; **esse(s)**, **essa(s)**.

. _Essa_ caneta não escreve. Usa _esta._   6. _____ raqueta não é boa. Joga com _____.

. _____ dicionário não é bom. Toma _____.   7. _____ bolo não está bom. Prova _____.

. _____ óculos são muito escuros. Põe _____.   8. _____ batatas estão frias. Come _____.

. _____ camisola é pouco quente. Veste _____.   9. _____ vestido não é bonito. Compra _____.

. _____ telefone não funciona. Usa _____.   10. _____ cerveja não está fresca. Bebe _____.

Unidade 28 Possessivos

eu - - - ->

meu(s)

minha(s)

Eu tenho um irmão e uma irmã.
O meu irmão chama-se João.
A minha irmã chama-se Ana.
Os meus irmãos estão na escola.

— De quem é esta caneta?
— É **tua**. **A minha** caneta está
na mala.

tu - - - ->

teu(s)

tua(s)

Tu tens um amigo francês e duas
amigas inglesas.
O teu amigo está em Portugal.
As tuas amigas estão em Portugal.

— De quem são estes livros?
— São **meus**. **Os teus** estão na
sala.

você - - >

seu(s)

sua(s)

O sr. Marques foi buscar o carro à
garagem.
— **O seu** carro já está pronto. Tem
aqui **as suas** chaves, sr. Marques.

— Este jornal é **seu**, sr. Marques?
— É **meu**, mas pode ler.

nós - ->

nosso(s)

nossa(s)

Nós andamos na escola.
A nossa escola é moderna.
Os nossos professores são muito
simpáticos.

— Aquele é **o vosso** carro?
— Não. **O nosso** está na garagem.

vocês - ->

vosso(s)

vossa(s)

O João está a falar com o Pedro e
com a Ana:
— Encontrei **os vossos** pais no cinema.

ele (o Paulo) -> dele

A bicicleta **dele** (do Paulo)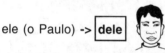

O relógio **dele** (do Paulo)

As calças **dele** (do Paulo)

Os óculos **dele** (do Paulo)

ela (a Joana) -> dela

Os pais **dela** (da Joana)

As canetas **dela** (da Joana)

O vestido **dela** (da Joana)

A avó **dela** (da Joana)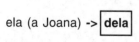

eles (o sr. e a sra. Oliveira) -> deles

O carro **deles** (do sr. e da sra. Oliveira)

A casa **deles** (do sr. e da sra. Oliveira)

Os filhos **deles** (do sr. e da sra. Oliveira)

As malas **deles** (do sr. e da sra. Oliveira)

elas (a Joana e a Ana) -> delas

A escola **delas** (da Joana e da Ana)

O dicionário **delas** (da Joana e da Ana)

Os namorados **delas** (da Joana e da Ana)

As casas **delas** (da Joana e da Ana)

Unidade 28   Exercícios

28.1. Responda às seguintes perguntas:

1. — De quem é esta bola? (eu)
   — *É minha.*

2. — De quem são estes óculos? (ele)
   — *São dele.*

3. — De quem é aquele dicionário? (vocês)
   — _____.

4. — De quem são estas flores? (eu)
   — _____.

5. — De quem é esse lápis? (tu)
   — _____.

6. — De quem são estas revistas? (ela e ele)
   — _____.

7. — De quem são essas malas? (nós)
   — _____.

8. — De quem é este bolo? (ela)
   — _____.

9. — De quem são aquelas canetas? (tu e você)
   — _____.

10. — De quem é esta chave? (ele)
    — _____.

11. — De quem é este café? (você)
    — _____.

12. — De quem são estes chocolates? (eu e tu)
    — _____.

28.2. Complete as seguintes frases:

1. Vi a Patrícia com o marido *dela*.
2. Vi o sr. Marques com a mulher _____.
3. Vi a Ana com o namorado _____.
4. Vi o João e o Miguel com os pais _____.
5. Vi o Pedro com os filhos _____.
6. Vi a Joana e a Paula com os amigos _____.

28.3. Use os **possessivos**.

1. Nós temos um apartamento.
   É o nosso apartamento.

2. Ele comprou uma máquina fotográfica.
   É a máquina fotográfica dele.

3. Você tem um carro.
   É _____.

4. Eu ando numa escola.
   É _____.

5. Eu e tu dormimos no mesmo quarto.
   É _____.

6. Ela comprou uma mala.
   É _____.

7. Tu e o Pedro têm muitos amigos.
   São _____.

8. A Ana e a Paula já têm namorados.
   São _____.

9. Você tem muitas canetas.
   São _____.

10. O sr. Marques está no escritório.
    É _____.

11. Vocês têm muitos livros.
    São _____.

12. Eu e o meu irmão ainda temos avós.
    São _____.

13. Tu tens uma casa nova.
    É _____.

14. Eles têm dois filhos.
    São _____.

15. Tu e a tua irmã têm um dicionário.
    É _____.

16. Nós temos uma filha.
    É _____.

Unidade 29 Discurso directo e indirecto

O João disse que **estava** doente e que não **ia** à escola.

Eles disseram que já **tinham visto** o filme.

Ele disse que **teria** muito gosto em trabalhar com eles.

		Discurso directo	Discurso indirecto
Tempos verbais		Presente	Imperfeito
		Pretérito perfeito simples Pretérito perfeito composto	Pretérito mais-que-perfeito composto
		Futuro imperfeito	Condicional presente
Advérbios/ expressões de	lugar	aqui	ali
		cá	lá
	tempo	ontem	no dia anterior
		hoje	nesse dia/naquele dia
		amanhã	no dia seguinte
		na próxima semana	na semana seguinte
Pessoais/Possessivos		1.ª e 2.ª pessoa	3.ª pessoa
Demonstrativos		este / esse	aquele
		isto / isso	aquilo

No fim-de-semana passado a Ana encontrou o João numa festa.

Verbos introdutórios para o discurso indirecto:
dizer / contar / perguntar / responder / querer saber

- O João perguntou à Ana se ela **tomava** uma bebida.
- O João disse à Ana que a festa **estava** muito animada.
- O João perguntou à Ana se ela **queria** dançar.
- O João perguntou à Ana se **tinha visto** o Pedro.
- O João contou à Ana que n. **semana seguinte** ia de férias para o Algarve.
- O João perguntou à Ana como **iam** as aulas *dela*.
- O João disse à Ana que **tinha entrado** para a universidade e que **gostava** muito do curso *dele*.

Unidade 29   Exercícios

29.1. Ontem à tarde você encontrou a Paula, uma amiga sua, que lhe contou muitas coisas.

1. Estou a viver em casa dos meus pais.
2. No próximo mês vou mudar para um apartamento novo.
3. Vou casar-me na próxima semana.
4. Não tenho tempo para preparar nada.
5. Tirei uns dias de férias para tratar de tudo o que é necessário.
6. Queres vir jantar a minha casa?
7. O meu futuro marido também irá ao jantar.
8. Ele trabalha com computadores.
9. Já fizemos os planos para a lua-de-mel.
10. Vamos fazer um cruzeiro pelo Mediterrâneo.
11. Partiremos logo a seguir ao casamento.
12. Claro que estás convidada para a festa!

À noite, você está a conversar com outra amiga e conta-lhe tudo o que a Paula disse.

1. A Paula disse-me que *estava a viver em casa dos pais dela.*

2. Ela disse que _____

3. Ela disse que _____

4. Ela queixou-se que _____

5. Ela contou-me que _____

6. Ela perguntou-me se _____

7. Ela disse-me que _____

8. Ela contou-me que _____

9. Ela disse-me que _____

10. Ela disse-me que _____

11. Ela contou-me que _____

12. Ela disse-me que _____

29.2. Imagine que um amigo seu lhe diz uma coisa e que depois diz exactamente o contrário.

Use verbos de opinião como: | **pensar que** | **julgar que** |

1. — Este restaurante é caro.

   — *Pensei que tinhas dito que não era caro.*

2. — Não vou ao cinema.

   — *Julguei que* _____

3. — O filme foi bom.

   — _____

4. — A Ana gosta do João.

   — _____

5. — Eles vão casar-se.

   — _____

6. — Nunca tomo café.

   — _____

7. — Não quero falar com eles.

   — _____

8. — Não posso ir à festa.

   — _____

9. — Hoje à noite fico em casa.

   — _____

10. — Chumbei no exame.

   — _____

11. — O empregado é simpático.

   — _____

12. — Paguei o almoço.

   — _____

13. — Gastei o dinheiro todo.

   — _____

Unidade 30 Infinitivo pessoal

Ele disse-lhes *para* **levarem** os casacos.

Ele comprou um livro *para* o filho **ler**.

eu	chegar
tu	falar**es**
você ele ela	ler
nós	ir**mos**
vocês eles elas	ser**em**

- Forma-se o **infinitivo pessoal** a partir do infinitivo de qualquer verbo mais as terminações *-es* (2ª pessoa do singular), *-mos* (1ª pessoa do plural) e *-em* (3ª pessoa do plural).

- Usamos estas formas depois de:

  - *expressões impessoais*

    É melhor vocês **levarem** os casacos.
    É preciso **ires** ao supermercado.
    É agradável **estarmos** na esplanada.

  - *preposições*

    Ao **ouvir** as notícias, o Pedro ficou preocupado. (= Quando o Pedro ouviu as notícias, ...)
    Comprei bilhetes *para* **irmos** ao cinema.
    Não te convidei, João, *por* **estares** doente.
    Não saiam de casa *sem* eu **chegar**.
    Eu espero *até* vocês **acabarem** o trabalho.

  - *locuções prepositivas*

    Li o livro *antes de* **ver** o filme.
    Apesar de **serem** muito ricos, não gostam de gastar dinheiro.
    No caso de **querer** mais informações, sr. Marques, telefone-me.
    Depois de **estudares** tudo, podes sair.

Unidade 30 Exercícios

30.1. Complete com os verbos no **infinitivo pessoal**.

1. Fomos visitar a Ana por ela _estar_ (estar) doente.
2. Depois de _pensarmos_ (pensar), decidimos não fechar o negócio.
3. Quero acabar o bolo antes de _chegarem_ (chegar) os convidados.
4. Depois de vocês _partirem_ (partir), arrumo a casa.
5. Apesar de _estarem_ (estar) com sono, não conseguiram dormir.
6. Não é muito provável eles _aceitarem_ (aceitar) o trabalho.
7. Até nós _encontrarmos_ (encontrar) o dinheiro, ninguém sai da sala.
8. É perigoso _tomarem_ (tomar) banho neste rio, meninos.
9. Fui de táxi para não _chegar_ (chegar) tarde.
10. O Pedro e a Ana estão a aprender inglês para _irem_ (ir) para os Estados Unidos.
11. Sem _saberem_ (saber) línguas, não podem concorrer ao lugar.
12. Esperem aqui até eu _voltar_ (voltar).
13. Depois de _comeres_ (comer), sentes-te melhor.
14. Sem _provares_ (provar) o bolo, não podes dizer se é bom ou mau.
15. A Joana ficou muito contente ao _receber_ (receber) o presente.

30.2. Ligue as frases com as palavras entre parênteses. Faça as alterações necessárias.

1. Ele vai ao cinema. Primeiro acaba o trabalho. (depois de)
   Ele vai ao cinema depois de acabar o trabalho.
2. Não posso ir. Telefono-lhe. (no caso de)
   no caso de não poder ir telefono lv
3. Não me sinto bem, mas vou trabalhar. (apesar de)
   apesar de não me Sintir bem mas vou trabalhar
4. Vais às compras. Depois vens logo para casa. (depois de)
   Vais depois ires às compras vens logo para casa
5. Primeiro têm de lavar as mãos. Depois comem o bolo. (antes de)
   Antes de comerem o bolo tem de lavar as maus
6. Acabas o trabalho. Depois fechas a luz. (depois de)
   Depois de acabares o trabalho fechas a luz
7. Ele tem um bom emprego, mas não está satisfeito. (apesar de)
   Apesar de ter bom emprego mas não está satisfeito
8. Vocês vêem o filme. Primeiro deviam ler o livro. (antes de)
   Antes de verem o film deviam ler o livro
9. Não temos aulas. Vamos ao museu. (no caso de)
   No caso de não termos vamos ao museu
10. Eles saem. Eu arrumo a casa. (depois de)
    Depois sairem, eu arruma a casa

30.3. Complete as frases com as preposições listadas e com os verbos no **infinitivo pessoal**.

ao	até	para	por	sem

1. _Ao_ _entrarem_ (entrar) em casa, viram que estava tudo desarrumado.
2. Não falem com o professor _até_ eu _chegar_ (chegar).
3. Comprei bilhetes _para_ nós _irmos_ (ir) ao concerto.
4. Ela não foi trabalhar _por_ _estar_ (estar) doente.
5. _Sem_ vocês _verem_ (ver) o filme, não podem fazer críticas.
6. As crianças ficaram contentíssimas _ao_ _abrirem_ (abrir) os presentes.

65

Unidade 31 Imperativo

Verbos regulares / forma afirmativa

Presente do Indicativo		-ar falar
ele **fala**	→	***Fala*** baixo! (informal/singular)
eu **fal**ø	→	***Fal*e** baixo! (formal/singular)
		Fal*em* baixo! (informal e formal/plural)

Presente do Indicativo		-er / -ir comer / abrir
ele **come** ele **abre**	→ →	***Come*** a sopa! ***Abre*** a janela! (informal/singular)
eu **com**ø eu **abr**ø	→ →	**Com*a*** a sopa! **Abr*a*** a janela! (formal/singular)
		Com*am* a sopa! **Abr*am*** a janela! (informal e formal/plural)

Verbos regulares / forma negativa

-ar / falar		er / -ir comer / abrir
Não **fales** alto! (informal / singular)	= formal singular + s =	Não **comas** doces! Não **abras** a janela! (informal / singular)
Não **fale** alto! (formal / singular)		Não **coma** doces! Não **abra** a janela! (formal / singular)
Não **falem** alto! (informal e formal/plural)		Não **comam** doces! Não **abram** a janela! (informal e formal/plural)

- No **imperativo negativo** só é **diferente** a forma usada para o tratamento **informal no singular (tu)**. Todas as outras — tratamento formal no singular (você) e tratamento informal e formal no plural (vocês; os senhores; as senhoras) — são iguais na afirmativa e negativa.

Verbos irregulares / forma afirmativa e negativa

	Singular			Plural
	informal		formal	informal e formal
	afirmativo	negativo	afirmativo e negativo	afirmativo e negativo
ser estar dar ir	**sê** está dá vai	não **sejas** não **estejas** não **dês** não **vás**	(não) **seja** (não) **esteja** (não) **dê** (não) **vá**	(não) **sejam** (não) **estejam** (não) **dêem** (não) **vão**

- Usamos as formas do **imperativo** para:

dar ordens	→	— **Feche** a porta, por favor.
dar conselhos	→	— **Não fumes** tanto.
dar sugestões	→	— **Vão** de táxi. É mais rápido.

66

Unidade 31 Exercícios

31.1. Complete com as formas correctas dos verbos no **imperativo**.

| vestir | | ler | |

1. (tu) *Veste* _____ o casaco.
2. (você) *Vista* _____ a camisola.
3. (vocês) *Vistam* _____ os casacos.

4. (tu) _____ o jornal.
5. (você) _____ o livro.
6. (vocês) _____ as instruções.

| pôr | | fazer | |

7. (tu) _____ a mesa.
8. (você) _____ a camisola.
9. (vocês) _____ as camisolas.

10. (tu) _____ o trabalho.
11. (você) _____ o almoço.
12. (vocês) _____ os exercícios.

| trazer | | despir | |

13. (tu) _____ o livro.
14. (você) _____ o dicionário.
15. (vocês) _____ os documentos.

16. (tu) _____ a camisola.
17. (você) _____ a gabardina.
18. (vocês) _____ os casacos.

| ir | | vir | |

19. (tu) _____ ao supermercado.
20. (você) _____ aos correios.
21. (vocês) _____ falar com o professor.

22. (tu) _____ a minha casa.
23. (você) _____ a Lisboa.
24. (vocês) _____ cá a casa.

31.2. O Miguel tem 5 anos e faz muitos disparates. A mãe está a dar-lhe algumas ordens:

1. Miguel, não *dispas* (despir) a camisola. Está muito frio.
2. Não _____ (falar) alto. Os teus irmãos estão a estudar.
3. Não _____ (comer) tantos chocolates!
4. Não _____ (tirar) os sapatos.
5. Não _____ (sujar) o chão.
6. Não _____ (partir) o copo.
7. Não _____ (escrever) na parede.
8. Não _____ (dizer) asneiras.
9. Não _____ (fazer) barulho.
10. Não _____ (entornar) o leite.
11. Não _____ (dar) pontapés à tua irmã.

31.3. Complete as frases com os verbos no **imperativo**.

1. — Está muito calor aqui. (tu/abrir a janela)
   — *Abre a janela.*
2. — Onde ficam os Correios, por favor?
   (o senhor/virar à esquerda)
   — _____
3. — Estou com fome. (tu/comer uma sandes)
   — _____
4. — Precisas de ajuda? (tu/pôr a mesa)
   — _____, por favor.

5. — Tenho frio. (você/vestir o casaco)
   — _____
6. — Temos sede. (vocês/beber um sumo)
   — _____
7. — Não compreendo este texto.
   (tu/ver as palavras no dicionário)
   — _____
8. — Como é que o vídeo funciona?
   (você/ler as instruções)
   — _____

Unidade 32 Comparativos

O Paulo é **tão** alto **como** o João.
O Pedro é **mais** alto **do que** os amigos.
O Paulo e o João são **menos** altos **do que** o Pedro.

Normal	COMPARATIVO		
	Superioridade	Igualdade	Inferioridade (*)
alto	*mais* alto **do que**	*tão* alto **como**	*menos* alto **do que**
longe	*mais* longe **do que**	*tão* longe **como**	*menos* longe **do que**
bom / bem	*melhor* **do que**	*tão* bom **como** *tão* bem **como**	*menos* bom **do que** *menos* bem **do que**
grande	*maior* **do que**	*tão* grande **como**	*menos* grande **do que**
mau / mal	*pior* **do que**	*tão* mau **como** *tão* mal **como**	*menos* mau **do que** *menos* mal **do que**

* *É pouco usado.*

— Ontem o tempo estava **mau**. Hoje ainda está **pior**.

— Levanto-me sempre **cedo**, mas anteontem ainda me levantei **mais** *cedo* **do que** habitualmente.

— Sentes-te **bem**?
— Hoje sinto-me **melhor**.

— Eles têm muitos filhos. Vão comprar um carro **maior**.

— O Inverno em Portugal é **menos** *frio* **do que** na Alemanha.

— A minha mala está **mais** *pesada* **do que** a tua.

— Estes sapatos são **mais** *caros* **do que** aqueles.

— Neste prédio os andares do lado direito são **maiores do que** os do lado esquerdo.

— O concurso foi **tão** *bom* **como** o da semana passada.

— O concerto não foi **tão** *bom* **como** diziam.

— A vida no campo não é **tão** *agitada* **como** na cidade.

— Ele está **tão** *alto* **como** o pai.

Unidade 32   Exercícios

32.1. Complete as frases com os **adjectivos/advérbios** na forma correcta.

1. Se eu tenho 20 anos e tu tens 21, então tu és _mais velho do que eu._ (velho).
2. Se a igreja foi construída em 1570 e o museu em 1870, então a igreja é _____ (antigo).
3. Se as minhas calças custaram 10.000$00/49.88 € e as tuas 15.000$00/74.82 €, então as tuas foram
   _____ (caro).
4. Se hoje estão 7 graus e ontem estiveram 10, então hoje está _____ (frio).
5. Se o Pedro nasceu em 1965 e o irmão nasceu em 1960, então o Pedro é _____ (novo).
6. Se este jardim tem 100 m² e aquele tem 150 m², então aquele é _____ (grande).
7. Se de metro demoro 10 minutos até à escola e de autocarro demoro 30 minutos, então o metro
   é _____ (rápido).
8. Se aqueles sapatos custam 12.000$00/59.86 € e estes custam 9.000$00/44.89 €, então estes sapatos
   são _____ (barato).
9. Se a Ana tem 1,65m e a Joana tem 1,70m, então a Ana é _____ (baixo).
10. Se eu me levanto às 7 horas e tu te levantas às 8 horas, então eu levanto-me _____ (cedo).

32.2. Complete as frases com os **adjectivos/advérbios** contrários na forma correcta.

1. Este restaurante é muito caro. Vamos a outro _mais barato._ _____
2. Estes sapatos estão muito pequenos. Não tem outros _____?
3. Este texto é muito difícil. Não há outro _____?
4. Ontem senti-me mal. Hoje já estou _____.
5. O supermercado fica muito longe. Não há uma mercearia _____?
6. O exame de matemática não me correu bem. O exame de física ainda foi_____.
7. Esta régua é muito curta. Preciso de uma_____.
8. Esta caixa é muito pesada para ti. Leva aquela que é _____.
9. No ano passado a Ana estava muito gorda. Agora está _____.
10. Ele é muito baixo para jogar basquetebol. Precisamos de um jogador _____.

32.3. Complete as frases com os **adjectivos/advérbios** na forma correcta.

1. O teu irmão não é muito alto. Tu és _mais alto._ _____
2. A casa deles não é muito grande. Eles querem comprar uma casa _____.
3. Este vinho não sabe muito bem. Aquele é _____.
4. Ao fim-de-semana não se levantam muito cedo. Durante a semana levantam-se _____.
5. O inglês dele é mau. O da Ana é _____.
6. Este empregado não é muito simpático. Aquele é _____.

32.4. Complete as frases com _**tão ... como**_.

1. A igreja é mais antiga do que o museu. _O museu não é tão antigo como a igreja._ _____
2. Espanha é maior do que Portugal. Portugal _____.
3. Ele joga melhor do que o João. O João _____.
4. O leite está mais quente do que o café. O café _____.
5. Ele come mais depressa do que a irmã. A irmã _____.
6. A Ana é mais alta do que o Rui. O Rui _____.

Unidade 33 Superlativos

ELES SÃO TODOS MUITOS ALTOS. DE FACTO ELES SÃO ALTÍSSIMOS. MAS O PEDRO É O MAIS ALTO DE TODOS.

Normal	SUPERLATIVO RELATIVO	
	superioridade	inferioridade *
baixo	**o mais** baixo	**o menos** baixo
cedo	**o mais** cedo	**o menos** cedo
bom	**o melhor**	**o menos** bom
grande	**o maior**	**o menos** grande
mau	**o pior**	**o menos** mau

* *É muito pouco usado.*

Normal	SUPERLATIVO ABSOLUTO	
	sintético	analítico
baixø	**baixíssimo**	**muito** baixo
cedø	**cedíssimo**	**muito** cedo
fácil	**facílimo**	**muito** fácil
difícil	**dificílimo**	**muito** difícil
bom/bem	**óptimo**	**muito** bom/bem
mau/mal	**péssimo**	**muito** mau/mal

— Lisboa é **a maior** cidade de Portugal.

— O filme foi **péssimo**. Foi mesmo **o pior** filme que eu vi.

— Ele joga bem futebol, mas não é **o melhor** jogador da equipa.

— Chegaste **tardíssimo**. O filme já começou.

— Dentro da cidade, o metro é **o** meio de transporte **mais rápido**.

— A Ana e a Joana são **as melhores** alunas da turma.

— O Pedro, o Paulo e o Miguel são todos **muito altos**. **O mais alto** é o Pedro que tem 1,90m e **o menos alto** é o Miguel que tem 1,87m.

Unidade 33   Exercícios

33.1. Complete as frases com os **adjectivos/advérbios** na forma correcta.

1. Eu estou muito cheio. De facto, estou *cheiíssimo.*
2. Ainda é muito cedo. De facto, é _____ .
3. Ele está muito gordo. De facto, é _____ .
4. Esta bebida é muito forte. De facto, é _____ .
5. Eles estão muito atrasados. De facto, estão _____ .
6. A tua mala está muito pesada. De facto, está _____ .
7. Este bife está muito duro. De facto, está _____ .
8. A sopa está muito quente. De facto, está_____ .
9. O exame foi muito difícil. De facto, foi _____ .
10. O bolo de chocolate está muito bom. De facto, está_____ .
11. O acidente foi muito grave. De facto, foi _____ .
12. Estes sapatos foram muito caros. De facto, foram _____ .

33.2. Complete com os **adjectivos** na forma correcta.

1. O Miguel é mais velho do que o Paulo e a Ana. *É o mais velho dos irmãos.*
2. Este ano as férias foram melhores do que no ano passado. Foram _____ de sempre.
3. Esta igreja é muito antiga. É _____ do país.
4. Esta sala é muito grande. É _____ de todas.
5. O jogo de domingo foi péssimo. Foi _____ de todos.
6. Ela é muito bonita. É _____ das irmãs.
7. Ele é mais alto do que os colegas. É _____ da turma.
8. Estas uvas são muito doces. São _____ de todas.
9. Este romance é muito interessante. É _____ deste escritor.
10. Ele é um cantor muito popular. É _____de todos.

33.3. Complete as frases.

1. Este é *o restaurante mais caro* de Lisboa. (restaurante / caro)
2. Esse foi *o melhor filme* _____ do ano. (bom / filme)
3. Ele é _____ do país. (homem / rico)
4. Hoje foi _____ da minha vida. (dia / feliz)
5. Ela é _____ que eu conheci. (rapariga / bonito)
6. O Tejo é _____ de Portugal. (grande / rio)
7. A Ana e o Pedro são _____ da turma. (bom / alunos)
8. Ele é _____ da actualidade. (político / popular)
9. Este foi _____ que eu ouvi. (mau / discurso)
10. Ela foi _____ dos anos 50. (actriz / famoso)

71

Unidade 34 tão e tanto

tão + adjectivo (invariável)	Ela é **tão bonita**! Que rapariga **tão bonita**!
tão + advérbio (invariável)	Falas **tão depressa**! Não compreendo nada. A praia é **tão longe**! É melhor irmos de carro.
verbo + tanto (invariável)	Ele **come tanto**! Por isso está tão gordo.
tanto(s) tanta(s) + substantivo (variável)	Gastei **tanto dinheiro** nas compras! Não comas **tantos chocolates**! **Tanta gente** na rua! Nunca vi **tantas pessoas** num concerto!
tão + adjectivo advérbio + que ... (invariável)	Falas **tão** <u>depressa</u> **que** eu não compreendo. Ele estava **tão** <u>cansado</u> **que** foi logo dormir.
verbo + tanto que ... (invariável)	Ele <u>estudou</u> **tanto que** ficou com dores de cabeça. Tive **tanto** <u>trabalho</u> **que** não pude sair com vocês.
tanto(s) tanta(s) + substantivo + que ... (variável)	Ele tinha **tantas** <u>dores</u> de cabeça **que** foi tomar um comprimido.

Unidade 34   Exercícios

34.1. Complete as frases exclamativas com **tão** ou **tanto**.

1. Está _tanto_____ calor!
2. O bebé tem uns olhos _tão___ azuis!
3. Que festa _____ animada!
4. _____ carros!
5. Não bebas _____ cerveja!
6. Que vestido _____ bonito!

7. A sopa está _____ quente!
8. Há _____ pessoas na paragem!
9. Não fales _____ depressa!
10. Ele ganha _____ dinheiro!
11. A casa deles fica _____ longe!
12. Não comas _____!

34.2. Faça frases exclamativas com **tão**.

1. Estas flores são muito bonitas.
   _Que flores tão bonitas!_____
2. Aquele cão é muito mau.
   Que cão _____!
3. O empregado foi muito antipático.
   Que _____!
4. O bolo estava muito bom.
   _____!

5. O jantar foi muito caro.
   _____!
6. A festa foi muito divertida.
   _____!
7. Os teus amigos foram muito simpáticos.
   _____!
8. Este sofá é muito confortável.
   _____!

34.3. Complete com **tão** ou **tanto(s)**, **tanta(s)**.

1. Estou _tão_____ atrasada. Vou apanhar um táxi.
2. Ultimamente tem havido _____ trabalho no escritório.
3. Ele sente-se _____ cansado.
4. A mãe dela está _____ doente e tudo lhe faz _____ confusão.
5. Tive _____ sorte em encontrar os documentos.
6. Não precisas de trabalhar _____ horas.

34.4. Ligue as frases com **tão ... que** ou **tanto ... que**.

1. Hoje andei muito. Doem-me os pés.
   _Hoje andei tanto que me doem os pés._____
2. Estou com muitas dores. Vou tomar um comprimido.
   _____

3. O professor fala muito depressa. Não compreendo nada.
   _____

4. O dia ontem esteve muito quente. Fomos até à praia.
   _____

5. A Ana estudou muito. Ficou com dores de cabeça.
   _____

6. Fizeste muito barulho. Acordaste o bebé.
   _____

7. Ele comeu muito. Não consegue levantar-se.
   _____

8. Ela sentiu-se muito mal. O marido chamou o médico.
   _____

Unidade 35 — Preposições + pronomes pessoais

	preposição + pronomes pessoais			
	«com»	outras preposições		
eu	*comigo*			*mim*
tu	*contigo*	de		*ti*
você	*consigo*	a		*si*
ele	com ele	sem		ele
ela	com ela	até		ela
nós	*connosco*	por		nós
vocês	com vocês / *convosco* *	para		vocês
eles	com eles	...		eles
elas	com elas			elas

* A forma *convosco* (= com os senhores / as senhoras) é formal.

— Vais *comigo* à festa?
— Sim, vou *contigo*.

— Espere <u>por</u> **mim**. Desço *consigo* no elevador.

— Meus senhores, posso contar *convosco* para a inauguração?
— Claro. Conte *connosco*.

— Trouxe esta prenda <u>para</u> *ti*.
— <u>Para</u> *mim*? Muito obrigado.

— Estivemos a falar <u>de</u> *si* esta manhã, D. Fátima.

— Tens visto a Joana?
— Falei <u>**com**</u> **ela** na semana passada.

— Eles moram perto <u>de</u> **nós**.

5.1. Complete com a forma correcta do **pronome**.

Isto é para
_____. (eu)
_____. (tu)
_____. (você)
_____. (eu + tu)
_____. (tu + você)
_____. (ele + ela)

5.2. Complete com a forma correcta do **pronome** contraído ou não com a preposição **com**.

O João quer falar
_____. (eu)
_____. (tu)
_____. (você)
_____. (Ana)
_____. (eu + o Pedro)
_____. (ele + ela)

5.3. Complete com o **pronome** contraído ou não com a preposição **com**.

1. — Também vens *connosco?* (nós)

   — Vou. Vou *com vocês*. (vocês)
2. — O chefe quer falar _____ (você), Sr. Rocha.
   — Vou já falar _____ (ele).
3. Hoje não vou sair _____ (eles). Podem contar _____ (eu) para o jantar.
4. Meus senhores, precisava de conversar _____ (os senhores).
5. Ninguém falou _____ (eu) sobre esse assunto.
6. — Quem é que vai _____ (vocês) no carro?
   — A Ana vai _____ (nós) e o João tem de ir _____ (tu).
7. Ontem à noite sonhei _____ (tu).
8. Ficámos _____ (ele) até à meia-noite.
9. — Posso contar _____ (você) para a inauguração?
   — Claro. Conte _____ (eu).
10. Gostaria de encontrar-me _____ (o senhor e a senhora) para discutir a vossa proposta.

5.4. Complete com a forma correcta do **pronome**.

1. — Esperem por *mim*_____. Estou quase pronto.

   — Só esperamos por *ti*_____ mais cinco minutos, João.
2. Não posso começar a reunião sem _____. Por isso não te atrases.
3. — Trouxe estas flores para _____, D. Margarida.
   — Para _____?! Muito obrigada.
4. Estiveram a falar sobre _____ e a minha situação na companhia.
5. Chegou esta encomenda para _____, sr. Oliveira.
6. Moras perto de _____. Agora somos vizinhos.
7. Ultimamente tenho pensado em _____ e no que me disseste.
8. Lembra-se de _____? Andámos juntos na escola.
9. Ele conheceu a Rita e apaixonou-se logo por _____.
10. Mentiste-me. Já não acredito em _____.

Unidade 36 Pronomes pessoais complemento directo

— A Ana vai à festa?
— Vai. Eu convidei-**a**.

— Podes levar as revistas. Já **as** li.

— Não consigo levantar o caixote. Ajudas-**me**?
— Ajudo-**te** já. É só um minuto.

— Encontraste o Pedro?
— Não. Já não **o** encontrei.

— Onde é que tens os bilhetes? Perdeste-**os**?
— Não Guardei-**os** na mala.

— Podes levar-**nos** a casa?
— Está bem. Eu levo-**vos**.

	Complemento directo
eu	*me*
tu	*te*
você ele, ela	*o, a*
nós	*nos*
vocês	*vos*
eles, elas	*os, as*

Formas verbais terminadas em:	3ª pessoa as formas *-lo, -la, -los, las*
-r̶ -s̶ -z̶	-lo -la -los -las

☞ **Excepções**

Ele que**r** *os chocolates*.
Ele quer**e-os**

Tu te**ns** *a minha caneta*.
Tu te**m-la**.

— Vou convida**r** os meus amigos. Vou convidá-**los**.
— Vou ve**r** esse filme. Vou vê-**lo**.
— Paga**s** a conta? Paga-**la**?
— Bebe**s** o leite todo. Bebe-**lo** todo.
— Ele fa**z** os exercícios em casa. Ele fá-**los** em casa.
— Tra**z** a tua irmã à festa. Trá-**la** à festa.

Formas verbais terminadas em:	3ª pessoa as formas *-no, na, nos, nas*
-ão -õe -m	-no -na -nos -nas

Eles d**ão** o dinheiro ao empregado.
Eles dão-**no** ao empregado.

Ela p**õe** a mesa. Ela põe-**na**.

Coma**m** os bolos. Comam-**nos**.

36.1. Complete com as formas correctas dos **pronomes**.

1. Eu conheço a Ana e a Ana conhece-*me.*
2. Tu conheces a Ana e a Ana conhece-_____.
3. Ela conhece a Ana e a Ana conhece-_____.
4. Ele conhece a Ana e a Ana cohnece-_____.
5. Nós conhecemos a Ana e a Ana conhece-_____.
6. Vocês conhecem a Ana e a Ana conhece-_____.
7. Eles conhecem a Ana e a Ana conhece-_____.
8. Elas conhecem a Ana e Ana conhece-_____.

6.2. Substitua o **complemento directo** pelo **pronome correspondente**, e faça as alterações necessárias.

1. Fomos buscar *os nossos amigos* à estação.
   Fomos buscá-los à estação.
2. Tens visto *a Inês*?

3. Não comam *o bolo* todo.

4. Podes guardar *a revista*. Já li *a revista*.

5. Puseram *os casacos* e saíram.

6. Vês *o filme* connosco?

7. Fechem *a porta* à chave.

8. Ajuda-me a levantar *o caixote*.

9. Façam bem *as camas*.

10. Põe *os livros* na pasta.

11. Também convidámos *os professores*.

12. Levem *o João e a Ana* no carro.

13. Encontraste *o meu irmão*?

14. Deixei *a carteira e os documentos* na escola.

15. Faz *os exercícios* em casa.

16. Gostei de ouvir *o Primeiro Ministro*.

17. Aqueçam *o leite*.

18. Tenho de ler *os relatórios*.

19. Tem *as fotografias* consigo?

20. Dão *a prenda* à Ana?

36.3. Complete com a forma correcta do **pronome**.

1. Ajudas-*me* a fazer o exercício? Sozinho não consigo.
2. Nós também vamos à festa. O Paulo convidou-_____.
3. Se não tens boleia, levo-_____ a casa.
4. Ele não falou com vocês?! Então é porque não _____ conhece.
5. Quando estive no hospital, eles foram lá ver-_____.
6. Já assinei o contrato. Assinei-_____ hoje de manhã.
7. Li a poesia, mas achei-_____ difícil.
8. Queria umas bananas, mas não _____ quero muito maduras.
9. Vocês não me viram, mas eu vi-_____ à porta do cinema.
10. Não encontro os meus óculos. Não sei onde _____ pus.

Unidade 37 Pronomes pessoais complemento indirecto; compl. indirecto + compl. directo

	Complemento indirecto
eu	*me*
tu	*te*
você ele, ela	*lhe*
nós	*nos*
vocês	*vos*
eles, elas	*lhes*

— Os meus amigos mandaram-*me* um postal.

— Eu escrevi-*lhes* uma carta.

— Apetece-*te* alguma coisa?

— Apetece-*me* um gelado.

— O que é que *nos* perguntaste?

— Perguntei-*vos* se vocês estão em casa hoje à noite.

— Ofereci-*lhe* um ramo de flores e ela gostou muito.

— Posso fazer-*lhe* uma pergunta, sr. Ramos?

— O João não foi à festa, porque não *lhe* disseram nada

Contracções
C. indirecto + C. directo

me + o = mo
me + a = ma
me + os = mos
me + as = mas

Dá-me esse livro. Dá-*mo*.
Dá-me essa borracha. Dá-*ma*.
Dá-me esses óculos. Dá-*mos*.
Dá-me essas canetas. Dá-*mas*.

te + o = to
te + a = ta
te + os = tos
te + as = tas

Já te emprestei o caderno. Emprestei-*to* ontem.
Já te emprestei a cassete. Emprestei-*ta* ontem.
Já te emprestei os livros. Emprestei-*tos* ontem.
Já te emprestei as revistas. Emprestei-*tas* ontem.

lhe + o = lho
lhe + a = lha
lhe + os = lhos
lhe + as = lhas

Mandei-lhe o dinheiro. Mandei-*lho* ontem.
Mandei-lhe a encomenda. Mandei-*lha* ontem.
Mandei-lhe os catálogos. Mandei-*lhos* ontem.
Mandei-lhe as informações. Mandei-*lhas* ontem.

Unidade 37   Exercícios

37.1. Complete com as formas correctas dos **pronomes**.

1. (**Eu** preciso do dicionário). Podes emprestar-*me*_____ o dicionário?
2. (**Tu** precisas de 1.000$00/4.98 €). Vou emprestar-_____ 1.000$00/4.98 €.
3. (**Você** quer informações). Vou enviar-_____ informações.
4. (**O Rui** quer a bicicleta). Podes emprestar-_____ a bicicleta?
5. (**A Joana** precisa duma camisola). Vou comprar-_____ uma camisola.
6. (**Nós** recebemos a carta). Ela escreveu-_____ uma carta.
7. (**Vocês** querem ver a casa). Vou mostrar-_____ a casa.
8. (**Eles** querem conhecer a Ana). Vou apresentar-_____ a Ana.
9. (**A Ana e o Pedro** precisam do carro). Vou emprestar-_____ o carro.
10. (**Elas** gostaram do bolo). Vou servir-_____ mais bolo.

37.2. Complete com as **formas contraídas** dos **pronomes**.

1. Esse livro é meu. Dá-*mo.*_____
2. Esses lápis são meus. Dá-_____.
3. Aqueles óculos são dele. Dá-_____.
4. Essas canetas são dela. Dá-_____.
5. Essas chaves são minhas. Dá-_____.
6. Aquela carteira é dela. Dá-_____.
7. Aquele caderno é dela. Dá-_____.
8. Essa mala é minha. Dá-_____.

37.3. Substitua o **complemento directo** e **o indirecto** pelo pronome correspondente. Depois faça a contracção.

1. O Pedro emprestou **as cassetes à Ana**.
   *O Pedro emprestou-as à Ana.*_____
   *O Pedro emprestou-lhe as cassetes.*_____
   *O Pedro emprestou-lhas.*_____
2. Vou mostrar **o quarto a ti**.
   _____.
   _____.
   _____.
3. Ele ofereceu **os bilhetes a mim**.
   _____.
   _____.
   _____.
4. Já dei **as informações ao sr. Oliveira**.
   _____.
   _____.
   _____.
5. Eles contaram **a história ao João**.
   _____.
   _____.
   _____.
6. Mandei a **encomenda à D. Maria**.
   _____.
   _____.
   _____.

7. Demos **a prenda ao professor**.
   _____.
   _____.
   _____.
8. Entregaste **os livros ao aluno**?
   _____?
   _____?
   _____?
9. Já pagaste **a renda ao senhorio**?
   _____?
   _____?
   _____?
10. Mostrámos **o apartamento à Ana**.
    _____.
    _____.
    _____.
11. Emprestei **o dicionário ao teu irmão**.
    _____.
    _____.
    _____.
12. Só contei **a conversa a ti**.
    _____.
    _____.
    _____.

Unidade 38   Voz passiva — ser + particípio passado

activa   Camões escreveu *"Os Lusíadas"*.   **passiva**   *"Os Lusíadas"* foram escritos por Camões

- As duas frases têm o mesmo significado, mas **na voz activa**

  Camões escreveu "Os Lusíadas".   o sujeito - **Camões** - pratica a acção;

  na voz passiva

  "Os Lusíadas" foram escritos por Camões.   o sujeito - *"Os Lusíadas"* - sofre a acção do agente da passiva **Camões**.

- Na voz passiva usamos:
  - o **complemento directo da activa** que passa a **sujeito na passiva**.
  - verbo auxiliar **ser** no mesmo tempo do verbo principal da voz activa seguido do **particípio passado** do verbo principal:

    ser + particípio passado

  - o particípio passado do verbo principal que concorda em género e número com o novo sujeito da passiva:

    por + agente

  - o agente da passiva precedido pela preposição **por** contraído (ou não) com o artigo:

contracções	
por + o = pelo	**por + a = pela**
por + os = pelos	**por + as = pelas**

Presente
activa: A empregada *limpa* as salas todos os dias.
passiva: As salas *são limpas* todos os dias pela empregada.
    activa: O mecânico *está a arranjar* o carro.
    passiva: O carro *está a ser arranjado* pelo mecânico.

Passado
activa: A Ana *comprou* essas flores.
passiva: Essas flores *foram compradas* pela Ana.
    activa: O sr. Ramos *alugava* a casa no Verão.
    passiva: A casa *era alugada* no Verão pelo sr. Ramos.
        activa: O sr. Ramos *tinha alugado* o apartamento.
        passiva: O apartamento *tinha sido alugado* pelo sr. Ramos

Futuro
activa: A Câmara *vai construir* mais prédios.
passiva: Mais prédios *vão ser construídos* pela Câmara.
    activa: A televisão independente *gravará* o espectáculo.
    passiva: O espectáculo *será gravado* pela televisão independente.

Omissão do agente da passiva
- Quando na activa o sujeito é indeterminado e não está expresso, omite-se o agente da passiva.

activa: *Assaltaram* o banco ontem à noite.   **activa:** *Vão construir* novas estradas.
passiva: O banco *foi assaltado* ontem à noite.   **passiva:** Novas estradas *vão ser construídas*

Unidade 38   Exercícios

38.1. Faça frases na **passiva**.

1. O jornalista Rui Silva escreveu o artigo.
   O artigo foi escrito pelo jornalista Rui Silva.
2. O Presidente vai inaugurar a exposição.
   A exposição _____
3. A Companhia oferece o almoço.
   _____
4. O canal 6 transmitirá o jogo para toda a Europa.
   _____
5. A empregada já tinha limpo os quartos.
   _____
6. O clima da região atrai muitos turistas.
   _____
7. O barulho acordou as crianças.
   _____
8. Essa empresa tem contratado muitos jovens.
   _____
9. A nossa equipa ganhou o 1º prémio.
   _____
10. As crianças da primária fizeram os desenhos.
    _____

38.2. Ponha as frases na **passiva**.

1. Chamaram a ambulância imediatamente.
   A ambulância foi chamada imediatamente.
2. Viram o criminoso perto da fronteira.
   O criminoso _____
3. Assaltaram o banco na noite passada.
   _____
4. Aumentaram os impostos.
   _____
5. Vão construir mais escolas.
   _____
6. Vão abrir o hotel no próximo Verão.
   _____

38.3. Complete com o verbo na **passiva**.

1. Onde está a minha bicicleta? (roubar)
   Foi roubada?!
2. O que é que aconteceu à ponte? (destruir)
   _____?!
3. Onde está o meu carro? (rebocar)
   _____?!
4. Porque é que há tantos polícias no banco? (assaltar)
   _____?!
5. Onde estão os documentos? (roubar)
   _____?!
6. O que é que aconteceu àquela senhora? (atacar)
   _____?!

38.4. Responda com uma frase na **passiva**.

1. — Foste tu que **pagaste** o jantar?
   — Sim, sim. *O jantar foi pago por mim.*
2. — Foi a Ana que **ganhou** o jogo?
   — Sim, sim. *O jogo* _____ .
3. — Foi o Pedro que **encontrou** os documentos?
   — Sim, sim. _____ .
4. — Foi a agência que **ofereceu** a viagem?
   — Sim, sim. _____ .
5. — Foram vocês que **encomendaram** as flores?
   — Sim, sim. _____ .
6. — Foi ele que **fez** os exercícios?
   — Sim, sim. _____ .
7. — Foram eles que **escreveram** o artigo?
   — Sim, sim. _____ .
8. — Fui eu que **parti** o vidro?
   — Sim, sim. _____ .

Unidade 39 Voz passiva — estar + particípio passado; particípios duplos

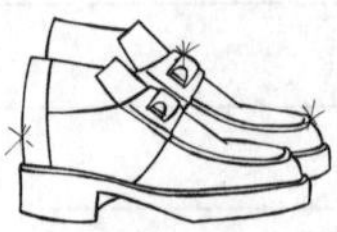

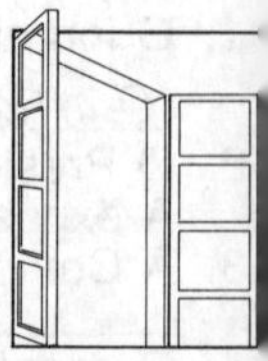

antes		agora	antes		agora
Os sapatos ***estavam sujos***.	Ele limpou os sapatos.	Os sapatos ***estão limpos***.	A janela ***estava fechada***.	Ela abriu a janela.	A janela ***está aberta***.

Passiva resultado da acção
estar + particípio passado

	Resultado
Já fizeram os exercícios. = Os exercícios já foram feitos.	Os exercícios ***estão feitos***.
O João pagou o almoço. = O almoço foi pago pelo João.	O almoço ***está pago***.
Já marcaram a reunião. = A reunião já foi marcada.	A reunião ***está marcada***.
Assinaram ontem o contrato. = O contrato foi assinado ontem.	O contrato ***está assinado***.

Particípios duplos

	regular (auxiliar ***ter***)	**irregular** (auxiliares ***ser*** e ***estar***)
aceitar	**aceitado**	**aceite**
acender	**acendido**	**aceso**
entregar	**entregado**	**entregue**
matar	**matado**	**morto**
prender	**prendido**	**preso**
romper	**rompido**	**roto**
salvar	**salvado**	**salvo**
secar	**secado**	**seco**

- Nos verbos com **particípios duplos** usamos o **particípio regular** com o auxiliar ***ter*** (tempos compostos) o **particípio irregular** é usado com os auxiliares ***ser*** e ***estar*** (voz passiva).
- O **particípio regular** é **invariável**; o **particípio irregular** concorda em **género** e **número** com **o sujeito**

Os bombeiros ***tinham salvado*** as crianças.

Isto é: As crianças ***tinham sido salvas*** pelos bombeiros.
Resultado: As crianças ***estavam salvas***.

Quando cheguei a casa { alguém já ***tinha acendido*** as luzes.
Isto é: as luzes já ***tinham sido acesas***.
Resultado: as luzes já ***estavam acesas***.

A polícia ***tem prendido*** vários membros da quadrilha.

Isto é: Vários membros da quadrilha ***têm sido presos***
Resultado: Vários membros da quadrilha ***estão presos***.

Unidade 39   Exercícios

39.1. Complete as frases com **estar + part. passado**, expressando o resultado da acção.

1. Já foi tudo combinado. Portanto, _está tudo combinado._ _____
2. A janela foi fechada. Portanto, _a janela_ _____ .
3. Os sapatos foram limpos. Portanto, _____ .
4. Os alunos foram informados. Portanto, _____ .
5. O quarto já foi arrumado. Portanto, _____ .
6. O contrato foi assinado. Portanto, _____ .
7. A encomenda foi entregue. Portanto, _____ .
8. A resposta foi dada. Portanto, _____ .
9. O carro foi arranjado. Portanto, _____ .
10. As contas já foram feitas. Portanto, _____ .

39.2. Faça frases com **estar + part. passado**.

1. Já paguei a conta. _A conta está paga._ _____
2. A empregada fez as camas. _As camas_ _____ .
3. Alguém acendeu as luzes. _____ .
4. O professor já corrigiu os testes. _____ .
5. A Ana pôs a mesa. _____ .
6. Ele abriu a porta. _____ .
7. Já informei as pessoas. _____ .
8. Ela rompeu o vestido. _____ .
9. Ele entregou os documentos. _____ .
10. Já sequei o cabelo. _____ .

39.3. Transforme as frases destacadas em frases passivas com o auxiliar **estar + part. passado**.

1. Quando me sentei, vi que **tinha rompido a saia**.
   Quando me sentei, vi que _a saia estava rota._ _____
2. **A minha camisola de lã já foi lavada?** Preciso dela.
   A minha camisola de lã já está lavada? Preciso dela.
3. A máquina de lavar loiça não funcionava. **Já foi arranjada?**
   A máquina de lavar loiça não funcionava. _____ ?
4. **O dentista arranjou-lhe os dentes.** Agora já não lhe doem.
   _____ . Agora já não lhe doem.
5. Podem sair depois de **fazerem os exercícios**.
   Podem sair depois de _____ .
6. A polícia anunciou que **tinham matado o chefe da quadrilha**.
   A polícia anunciou que _____ .
7. **Já pus a mesa.** Venham jantar, meninos.
   _____ . Venham jantar, meninos.
8. Quando os bombeiros chegaram ao local do incêndio, **todas as pessoas já tinham sido salvas**.
   Quando os bombeiros chegaram ao local do incêndio, _____ .

Unidade 40 Palavra apassivante *se*

- Usamos a palavra apassivante *se*:

- quando o sujeito da activa é completamente **desconhecido**, **indeterminado** ou **irrelevante** para a informação contida na frase;

- a partícula *se* coloca-se antes ou depois do verbo consoante a regra de colocação dos pronomes (ver **Unidade 14**)

- o verbo - sempre na forma activa - concorda com o sujeito da frase, isto é, conjuga-se na 3ª pessoa singular se o sujeito é singular ou na 3ª pessoa plural se o sujeito é plural.

Em Portugal as pessoas vêem muito televisão.
Em Portugal ***vê-se*** muito ***televisão***.

Marcaram a reunião para amanhã às 9h.
Marcou-se a reunião para amanhã às 9h.

Nessa loja aceitam cartões de crédito.
Aceitam-se cartões de crédito.

Os gritos foram ouvidos na rua.
Ouviram-se os gritos na rua.

Foram feitos três testes durante o ano.
Fizeram-se três testes durante o ano.

Unidade 40   Exercícios

40.1. Faça frases com a palavra apassivante *se*.

1. alugar / quartos
   Alugam-se quartos.
2. precisar de / motorista
   _____
3. vender / apartamentos
   _____
4. comprar / roupas usadas
   _____
5. falar / francês
   _____

6. dar / explicações
   _____
7. alugar / sala para congressos
   _____
8. servir / pequenos-almoços
   _____
9. admitir / cozinheiras
   _____
10. aceitar / cheques
    _____

40.2. Transforme as frases na activa em frases com a palavra apassivante *se*.

1. Em Portugal as pessoas vêem muito televisão.
   Em Portugal vê-se muito televisão.
2. No Norte as pessoas bebem muito vinho.
   No Norte
3. No Natal as pessoas comem bacalhau à consoada.
   No Natal

4. Com o calor as pessoas trabalham menos.
   Com o calor
5. Em Junho as pessoas festejam os Santos Populares.
   Em Junho
6. Para atravessar o rio as pessoas apanham o barco.
   Para atravessar o rio

40.3. Transforme as frases na activa em frases passivas com a palavra apassivante *se*.

1. Inauguraram ontem a ponte.
   Inaugurou-se ontem a ponte.
2. Alugaram duas camionetas para o passeio.
   _____
3. Antigamente compravam mais livros.
   _____

4. Ultimamente têm construído muitas escolas.
   _____
5. Já marcaram a viagem.
   _____
6. Fizeram obras no museu.
   _____

40.4. Transforme as frases na passiva (ser + part. passado) em frases com a palavra apassivante *se*.

1. A alface é lavada e temperada em seguida.
   Lava-se a alface e tempera-se em seguida.
2. As batatas são cozidas e depois descascadas.
   _____
3. Os ovos são batidos com o açúcar.
   _____
4. A carne é picada e depois misturada com o molho.
   _____
5. O peixe é arranjado e passado por farinha.
   _____
6. O queijo é cortado e posto no pão.
   _____

Unidade 41 Preposições de movimento

• a

- **ir / vir / voltar a** ... (curta permanência)
  Ontem **fui ao** cinema.
  É meio-dia. Eles **vão a** casa almoçar.
  Ele **vai à** escola todos os dias.
  Vou aos Correios comprar selos.
- **a pé / à boleia**
  Gosto muito de andar **a pé**.
  Foram **à boleia** para a praia.

• para

- **ir / vir / voltar para** ... (longa permanência)
  Eles **vão** viver **para** o Canadá.
  Ela **vai** estudar **para** Inglaterra.
  Volta para Portugal dois anos depois.
  São 6 horas da tarde. **Vou para** casa.
- **direcção / destino** ——————▶•
  Esta camioneta **vai para** Lisboa.
  O comboio **para** Braga parte às 20 horas.
  Vou para a escola.

• por

- **através de** ——•——▶
  Eles foram **pela** ponte.
  O senhor vai **por** esta rua, **pelo** passeio do lado direito.
  Andámos a passear **pelo** parque.
  Mandei a carta **por** avião.
- **perto de**
  Esse autocarro passa **pelo** hospital.
  A estrada nova passa **por** minha casa.

• de

- **origem ou proveniência** (**sair / vir / voltar**, etc...)
  Saí de casa às 8 horas.
  Voltaram da festa cansadíssimos.
  O meu marido **vem** hoje **do** Porto.
- **meios de transporte**
  Para a Baixa vou **de metropolitano**.
  De táxi é mais rápido.
  Eles vão **de autocarro** para o trabalho.
  Gosto muito de viajar **de avião**.

• em + artigo

- **meios de transporte** (determinado)
  O sr. Oliveira vai **no comboio das 7h30**.
  Prefiro voltar **no avião da TAP**.
  Querem ir **no meu carro**?
  Posso andar **na tua bicicleta**?

Contracções

a+a=à	a+as=às
a+o=ao	a+os=aos

Contracções

por+a=pela	por+as=pelas
por+o=pelo	por+os=pelos

Contracções

de+a=da	de+as=das
de+o=do	de+os=dos

Contracções

em+a=na	em+as=nas
em+o=no	em+os=nos

Unidade 41   Exercícios

41.1. Complete com **a** (contraído ou não com o artigo) ou **para**.

1. Vou _____ casa buscar o casaco e já volto.
2. Quem é que vai _____ supermercado?
3. Eles vão viver _____ o Algarve.
4. Já não há pão. É preciso ir _____ padaria.
5. Depois das aulas vou _____ casa.
6. Vamos _____ cinema?
7. O John volta _____ Inglaterra no próximo mês.
8. Prefiro ir _____ pé _____ a praia.
9. A minha mãe foi _____ Porto visitar uns amigos.
10. O Pedro vai trabalhar _____ os Estados Unidos.

41.2. Complete com **para** ou **por** (contraído ou não com o artigo).

1. A camioneta _____ Faro vai _____ autoestrada.
2. Eles vieram _____ ponte, porque é mais rápido.
3. Esse autocarro passa _____ minha escola.
4. Andaram _____ museu a ver tudo.
5. Ela vai estudar _____ França e volta _____ Portugal dois anos depois.
6. — Como é que se vai _____ o Instituto Português?
   — Vai _____ esta rua, _____ passeio do lado esquerdo e vê logo o Instituto.
7. Quando vou _____ casa, vou sempre _____ Av. da República.
8. Os carros passam _____ túnel.
9. Eles já foram _____ o aeroporto, mas antes passavam _____ hotel.
10. Todos os anos vamos de férias _____ o Algarve.

41.3. Complete com **de** (contraído ou não com o artigo) ou **em** (contraído com o artigo).

1. Fomos _____ avião e voltámos _____ comboio.
2. Queres andar _____ minha mota nova?
3. Os turistas gostam de passear _____ eléctrico.
4. Nós vamos _____ carro do João e vocês vão _____ táxi.
5. Ontem saí _____ escritório muito tarde.
6. Eles chegam hoje _____ Brasil. Vêm _____ avião das 7h00.
7. Daqui para a Estrela tem de ir _____ autocarro nº 27.
8. Voltámos _____ Porto _____ comboio das 10h00.
9. Estás muito bronzeada. Vens _____ praia?
10. Saiu _____ autocarro e apanhou um táxi.

41.4. Faça frases, conjugando os verbos e usando as preposições contraídas ou não com o artigo.

1. (eu / ir / carro / emprego)
   Eu vou de carro para o emprego.
2. (o João / ir / escola / pé)
   _____
3. (nós / ir / carro dele)
   _____
4. (eles / voltar / Madrid / comboio das 20h30)
   _____
5. (eu / sair / casa / às 8h00)
   _____
6. (eles / ir / praia / camioneta)
   _____

Unidade 42 Preposições e locuções prepositivas de lugar

- **a (à(s), ao(s))**
  Ela está sentada **à** janela.
  — A casa de banho é **à direita** ou **à esquerda**?
  — É **ao fundo** do corredor **à direita**.
  À sombra está-se bem, **ao sol** está muito calor.

- **em (na(s), no(s))**
  - **local**
    Moro **em** Lisboa, **na** Av. da República.
    À noite fico sempre **em casa**.
  - **em cima de**
    Os livros estão **na** mesa.
    Há muito pó **no** chão.
  - **dentro de**
    Pus o dinheiro **no** bolso.
    Não fiquem muito tempo **na** água.
    Ele está **no** quarto. Está deitado **na** cama.

- **em cima de (da(s), do(s))**
  Arrumei os sacos **em cima do** armário.
  A tua mala está **em cima da** cadeira.

- **dentro de (da(s), do(s))**
  Os livros estão **dentro da** pasta.
  Está muito calor **dentro do** autocarro.

- **debaixo de (da(s), do(s))**
  O gato está **debaixo da** mesa.
  Debaixo das árvores está mais fresco.

- **ao lado de (da(s), do(s))**
  A livraria fica **ao lado da** escola.
  A Ana senta-se sempre **ao lado do** João.

- **em frente de (da(s), do(s))**
  O supermercado fica **em frente do** restaurante.

- **à frente de (da(s), do(s))**
  O Pedro está **à frente do** Rui.

- **atrás de (da(s), do(s))**
  O Rui está **atrás do** Pedro.
  O quadro está **atrás da** professora.

- **entre**
  O João está **entre** a Ana e o Pedro.
  Encontrei uma camisa lindíssima **entre** as roupas velhas da avó.

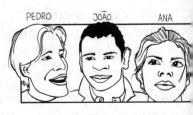

- **perto de / ao pé de (da(s), do(s))**
  A escola fica **perto de** casa.
  O jarro de água está **ao pé dos** copos.

Unidade 42 Exercícios

42.1. Complete com: **a**, **à frente de**, **ao lado de**, **debaixo de**, **dentro de**, **em**, **em frente de**, **entre** (contraídas ou não com o artigo).

1. Ela está sentada _____ bebé.

2. O táxi vai _____ _____ autocarro.

3. O pássaro está _____ gaiola.

4. Ele está_____ carro.

5. Coimbra fica _____ Lisboa e o Porto.

6. Ela está a tomar banho ____ piscina.

7. Eles encontraram-se ____ porta do cinema.

8. A cadeira está _____ _____ sofá.

42.2. Observe a gravura e complete as frases com **preposições** e **locuções** (contraídas ou não com o artigo).

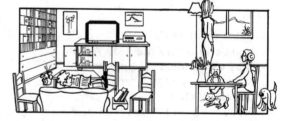

1. O Pedro e a Ana estão _____ sala de estar.
2. A televisão está _____ sofá.
3. O Pedro está sentado _____ sofá.
4. O gato está _____ mesa.
5. O cesto das revistas está _____ chão, _____ sofá.
6. O Pedro tem os pés _____ cadeira.
7. Os quadros estão _____ parede.
8. A Ana está de pé _____ janela.
9. O jornal está _____ mão do Pedro.
10. Os livros estão _____ estante.
11. As cassetes vídeo estão _____ armário.
12. O sofá está _____ as cadeiras.
13. O candeeiro está _____ Ana.
14. O bebé está sentado _____ mesa.
15. O cão está _____ avó.
16. A jarra está _____ mesa.

42.3. Observe a fotografia e complete as frases com **preposições** e **locuções** (contraídas ou não com o artigo).

1. O avô António está de pé _____ esquerda.
2. A D.Helena está de pé _____ o avô e o marido, o Afonso.
3. O Afonso está de pé _____ direita.
4. O João está sentado _____ esquerda, _____ avô.
5. A Ana está sentada _____ o João e o Pedro.
6. O Pedro está sentado _____ direita, _____ pai, o Afonso.
7. O avô António está _____ João.
8. O Afonso está de pé _____ mulher, a D. Helena.
9. A D. Helena está de pé _____ Ana.
10. O João está sentado _____ irmã, a Ana.

Unidade 43 Preposições de tempo

• a

- **datas** (com dia do mês)
  O Natal é **a** 25 de Dezembro.

- **dias da semana** (acção habitual)
  Ao(s) sábado(s) jantam sempre fora.

- **horas**
  As aulas começam **às** 9h00.
  Almoçamos **ao** meio-dia (12h00).
  A festa acabou **à** meia-noite (24h00).

- **partes do dia**
  Telefona-me **à noite**.
  À tarde nunca estou em casa.

• de

- **datas**
  Ele nasceu a 20 **de** Fevereiro **de** 1980.
  Faço anos a 15 **de** Janeiro.

- **de ... a**
  O ano lectivo é **de** Setembro **a** Junho.
  Têm aulas **das** 8h00 **ao** meio-dia.

- **partes do dia**
  De manhã estão na escola.
  São 10h00 **da manhã**.
  Almoçamos à 1h00 **da tarde** e
  jantamos às 8h00 **da noite**.

• em

- **datas** (com "dia")
  Vou de férias **no dia** 1 de Agosto.
- **dias da semana** (acção pontual)
  No sábado vamos a uma festa de anos.
- **épocas festivas**
  No Natal e **na** Páscoa vêm sempre a Portugal.
- **estações do ano**
  No Inverno chove muito.

- **meses**
  Os exames são **em** Julho.
- **anos**
  Vasco da Gama chegou à Índia **em** 1498.
- **séculos**
  A Madeira foi descoberta **no** século XV.

• para

- **localização temporal**
  Preciso das cartas prontas **para** as 18h00.
  Para o ano que vem vou aos Estados Unidos.
  Eles chegam **para** a semana.

- **horas**
  São dez **para** as cinco (16h50).

• por

- **tempo aproximado**
  O concerto deve acabar **pelas** 10h00 da noite.
  Eles vêm a Portugal **pelo** Natal.
- **período de tempo**
  Podes ficar com o livro **por** uma semana.
  Empresto-te o dinheiro **por** uns dias.

Unidade 43   Exercícios

43.1. Prencha com **a**, **de** ou **em** (contraídos ou não com o artigo).

1. ____ 10 ____ Agosto.
2. ____ nove ____ noite (21h00).
3. ____ próxima semana.
4. ____ fim-de-semana passado.
5. ____ véspera de Natal.
6. ____ férias ____ Verão.
7. ____ tarde.

8. ____ meio-dia (12h00).
9. ____ Julho ____ 1990.
10. ____ fim ____ ano.
11. ____ uma hora____tarde (13h00).
12. ____ dia 5 ____ Março.
13. ____ Primavera.
14. ____ Maio.

15. ____ manhã.
16. ____ cinco ____ tarde.
17. ____ meia-noite (24h00).
18. ____ Páscoa.
19. ____ 1994.
20. ____ oito ____ manhã (8h00).
21. ____ quatro e meia (16h30).

43.2. Complete com **para** ou **por** (contraído ou não com o artigo).

1. Alugámos a casa _____ dois meses.
2. A chegada do avião está prevista _____ as 14h35.
3. As férias começam _____ a semana.
4. A reunião foi adiada _____ sábado.
5. Podes ficar em minha casa _____ uns dias.
6. São cinco _____ as seis (17h55).
7. Eles disseram que voltavam _____ sete da tarde (19h00).
8. O carro está na garagem. Vou ficar sem ele _____ umas semanas.
9. _____ o ano acabo o curso na Universidade.
10. Foi eleito presidente do clube _____ 2 anos.

43.3. Complete com **a** ou **em** (contraídos com o artigo).

1. _____ domingo almoçamos sempre fora.
2. _____ domingo passado almoçámos em casa.
3. _____ sexta-feira _____ noite costumamos ir ao cinema.
4. _____ próxima sexta-feira temos uma festa de anos.
5. Temos aula de História _____ segundas-feiras.
6. _____ segunda que vem não temos, porque vamos visitar um museu.
7. Têm jogo de futebol _____ sábados.
8. _____ próximo sábado é feriado. Por isso não há jogo.

43.4. Complete com **a**, **de** ou **em** (contraídos ou não com o artigo).

1. O concerto começou _____ dez _____ noite (22h00) e acabou _____ meia-noite (24h00).
2. Ela trabalha muito durante a semana. Por isso, _____ fins-de-semana gosta de descansar.
3. O 25 de Abril foi _____ 1974.
4. Almoçamos _____ uma hora (13h00) e jantamos _____ oito (20h00).
5. Costumo fazer as compras _____ sábados _____ manhã.
6. O curso começa _____ 5 _____ Janeiro e termina _____ dia 30 _____ Março.
7. _____ dia _____ Natal a família reune-se em casa da avó.
8. A maioria das pessoas faz férias _____ Verão, mais precisamente _____ Agosto.
9. Tenho aulas todos os dias: _____ segunda _____ sexta.
10. O caminho marítimo para a Índia foi descoberto pelos portugueses _____ século XV.

Unidade 44 Interrogativos

• como...?
— **Como** é que se chama?
— Ana Ramos.
— **Como** é que está o tempo no Algarve?
— Está muito calor.
— **Como** está o senhor?
— Bem, obrigado.

— **Como** é a nova secretária?
— É alta, morena e muito simpática.
— **Como** é a vossa casa?
— É grande. Tem 6 assoalhadas.
— **Como** é que vais para a escola?
— Vou de autocarro.

• quem...? (pessoas)
— **Quem** é aquela senhora?
— É a nova professora.
— **De quem** são esses livros?
— São meus.
— **A quem** é que emprestaste o dicionário?
— Ao João.

— **Para quem** é essa prenda?
— É para a minha namorada.
— **Com quem** é que vieste?
— Com os meus pais.

• onde...? (local)
— **Onde** está a minha caneta?
— Está em cima da mesa.
— **De onde** és?
— Sou de Lisboa.
— **Aonde** vais?
— Vou ao supermercado.

— **Para onde** vão?
— Vamos para casa.
— **Por onde** vieram?
— Viemos pela ponte.

• quanto(s) / quanta(s)...?
— **Quanto** é um bilhete de ida e volta?
— São 1 500$00/7.48 €.
— **Quanto tempo** demora a viagem?
— 3 horas.
— **Há quanto tempo** estás na paragem?
— Há meia hora (30 m).

— **Quantos** anos tens?
— Tenho 15.
— **Quantas** cadeiras há na sala?
— Há 6 cadeiras.

• quando...? (tempo)
— **Quando** é que vocês chegaram?
— Chegámos ontem à noite.

• o que...?
— **O que** é que fizeste no sábado?
— Fui à praia.

• que...?
— **Que** horas são?
— É meio-dia.
— **Que** dia é hoje?
— Hoje é sexta-feira.
— **A que** horas chega o avião?
— Às 9h40.

— **Em que** ano nasceste?
— Em 1970.
— **De que** cor é o teu carro?
— É preto.
— **Porque** é que faltaste às aulas?
— Porque estive doente.

• qual / quais...?
— **Qual** é a profissão dele?
— É médico.

• o quê?
— Ele foi despedido.
— **O quê?** Não acredito.

• porquê?
— Afinal já não vou sair.
— **Porquê?** Estás doente.

— **Quais** são os teus livros? Estes ou aqueles?
— São estes.

N.B.: Os interrogativos são frequentemente reforçados pela expressão de realce **é que**:
  • antes do verbo que acompanha o interrogativo
    Onde **é que** moras?
    Como **é que** te chamas?
  • depois do substantivo que acompanha o interrogativo
    Quanto tempo **é que** demora a operação?

Unidade 44   Exercícios

44.1. Complete com: **quantos/quantas/como/onde/qual/o que/de que cor/quanto tempo/quem/a que horas**.

1. — _____ é aquele rapaz?
   — É o meu irmão.
2. — _____ começam as aulas?
   — Às 8 horas.
3. — _____ é a bandeira portuguesa?
   — É verde e encarnada.
4. — _____ é que estás a ler?
   — Um romance.
5. — _____ é o teu chapéu de chuva?
   — É aquele.

6. — _____ demorou a viagem?
   — Demorou cerca de quatro horas.
7. — _____ anos tem a Joana?
   — 18 anos.
8. — _____ vezes tomas o remédio?
   — 3 vezes por dia.
9. — _____ foi a festa?
   — Foi óptima.
10. — _____ é que vives?
    — Em Lisboa.

44.2. Faça perguntas para obter como resposta a parte destacada da frase.

1. A viagem foi **cansativa**.   *Como foi a viagem* ? _____
2. Demorámos **seis horas**.   _____?
3. Chegámos **por volta das 19h00**.   _____?
4. Fomos directos **para o hotel**.   _____?
5. **Desfizemos as malas**.   _____?
6. Jantámos **num pequeno restaurante**.   _____?
7. Comemos **bife com batatas fritas**.   _____?
8. Voltámos **a pé** para o hotel.   _____?
9. A noite estava **quente**.   _____?
10. Deitámo-nos cedo **porque estávamos cansados**. _____?

44.3. Complete com:

onde / preposição + onde

1. — _____ fica o supermercado?
   — Na Av. da República.
2. — _____ vão nas férias?
   — Para Cabo Verde.
3. — _____ vieram?
   — Pela autoestrada.
4. — _____ és?
   — De Lisboa.

quem / preposição + quem

1. — _____ é que encontraste?
   — O João e a Ana.
2. — _____ deste o recado?
   — À empregada.
3. — _____ são as flores?
   — Para a minha mãe.
4. — _____ estão a falar?
   — Da nova professora.

o que / que / preposição + que

1. — _____ é isso?
   — São postais.
2. — _____ horas são?
   — É meio-dia.
3. — _____ horas chega o comboio?
   — Às 19h30.
4. — _____ ano foi a revolução?
   — Em 1974.

quanto / quantos / quantas

1. — _____ é que ganhas?
   — 200 000$00/997.60 €
2. — _____ alunos há na turma?
   — 30.
3. — _____ pessoas morreram?
   — 6.
4. — _____ é?
   — São 350$00/1.75 €

Unidade 45 Indefinidos

	Indefinidos variáveis			
	singular		plural	
	masculino	feminino	masculino	feminino
	algum	alguma	alguns	algumas
	nenhum	nenhuma	nenhuns	nenhumas
Pessoas	muito	muita	muitos	muitas
ou	pouco	pouca	poucos	poucas
coisas	tanto	tanta	tantos	tantas
	todo	toda	todos	todas
	outro	outra	outros	outras

- **algum... /nenhum...**
  — Há **algum** lugar livre?
  — Não, não há **nenhum**.
  Alguns alunos não puderam vir.
  Não vieram **nenhuns** (alunos) do 10° ano.

- **muito... /pouco...**
  A avó tem **muita** paciência para as crianças.
  Ela tem **pouca** paciência.
  Ainda estão **muitas** pessoas no estádio?
  Não. Já estão **poucas**.

- **tanto...**
  Podem apanhar laranjas. Há **tantas** na árvore.
  Estão **tantos** polícias à porta do banco.

- **todo...**
  Vou **todos** os dias à escola.
  Todos os meus amigos vieram à festa.
  Vamos jantar. Está **toda** a gente com fome.

- **outro...**
  Este bolo está óptimo. Dê-me **outro**.
  A secretária despediu-se. Vamos contratar **outra**.

	Indefinidos invariáveis	
Pessoas	alguém	ninguém
Coisas	tudo	nada

- **alguém... /ninguém...**
  — Está **alguém** no escritório?
  — A esta hora _não_ está lá **ninguém**.
  Alguém partiu o vidro.
  Ninguém me disse o que se passava.

- **tudo... /nada...**
  Ele comeu **tudo**: a sopa, o bife com arroz e a fruta.
  Sem os óculos _não_ vejo **nada**.

Unidade 45   Exercícios

45.1. Complete com os **indefinidos variáveis** e **invariáveis**.

1. — Encontraste *alguém* no café?
   — Não, não encontrei *ninguém*.
2. — Está ali _____ a chamar-nos.
   — Onde? Não vejo _____.
3. — Bebeste o leite _____?
   — Já bebi _____. Não quero mais _____.

4. — Percebeste _____ coisa?
   — Não, não percebi _____.
5. — Fizeste os exercícios _____?
   — Fiz _____ sozinho.
6. — Tens _____ amigo no Canadá?
   — Não, não tenho lá _____ amigo.

45.2. Complete com os **indefinidos variáveis** e **invariáveis**.

1. Saiu sem dizer absolutamente _____.
2. Depois da festa estivemos a arrumar _____.
3. Ela vai à escola _____ os dias.
4. Fiquei o dia _____ em casa.
5. As crianças desarrumaram o quarto _____.
6. A Mary está a estudar em Portugal e já tem _____ amigas portuguesas.
7. _____ os anos trocam de carro.
8. Tenho _____ dinheiro. Por isso, não vou de férias.
9. _____ me roubou a carteira.
10. Perdi o dinheiro _____. Procurei em _____ a parte, mas não encontrei _____.
11. Não tenho _____ em casa. Tenho de ir às compras.
12. Esta caneta não escreve. Preciso de _____.
13. Esse realizador é desconhecido. _____ o conhece.
14. Ela é famosíssima. _____ a gente a conhece.
15. _____ empregados não vieram. Da fábrica não veio _____.

45.3. Complete com os **antónimos dos indefinidos** destacados, fazendo as alterações necessárias.

1. Está **alguém** à nossa espera?
   Não está ninguém à nossa espera?
2. Ele comeu **tudo**.
   Ele não comeu nada.
3. Encontrámos **muitas** pessoas conhecidas.
   Encontrámos poucas pessoas conhecidas.
4. Há **alguma** sala livre?
   _____?
5. Está **alguém** no escritório?
   _____?
6. Ela arrumou **tudo**.
   _____.
7. Deram-lhe **algumas** informações?
   _____?
8. Ele bebe **muito** leite.
   _____.

9. Há **algum** feriado este mês?
   _____?
10. As crianças desarrumaram **tudo**.
    _____.
11. Amanhã tenho **algum** tempo livre.
    _____.
12. **Muita** gente os conhece.
    _____.
13. Visitámos **alguns** locais de interesse.
    _____.
14. Hoje tive **muito** trabalho.
    _____.
15. **Alguém** telefonou enquanto estive fora?
    _____?
16. O João acha que sabe **tudo**.
    _____.

Unidade 46 Relativos

Antecedente	Relativos invariáveis
Pessoas e/ou coisas	que
Pessoas	quem
Lugares	onde

- os relativos fazem referência a pessoas, coisas ou lugares que os antecedem.
- o relativo **quem** está geralmente precedido de uma preposição.
- o relativo **onde** exprime uma circunstância de lugar.

• que
As pessoas eram muito simpáticas. Conhecemo-las na festa.	*2 frases*
As pessoas **que** conhecemos na festa eram muito simpáticas.	*1 frase*
Encontrei uma amiga. Não a via há muito tempo.	*2 frases*
Encontrei *uma amiga* **que** não via há muito tempo.	*1 frase*
O filme ganhou 4 óscares. Vamos vê-lo hoje.	*2 frases*
O filme **que** vamos ver hoje ganhou 4 óscares.	*1 frase*
Viste a mala? A mala estava em cima da cadeira.	*2 frases*
Viste *a mala* **que** estava em cima da cadeira?	*1 frase*

• quem
O professor vai na excursão. Estivemos a falar com ele.	*2 frases*
O professor **com quem** estivemos a falar vai na excursão.	*1 frase*

• onde
O restaurante era óptimo. Nós fomos lá.	*2 frases*
O restaurante **onde** fomos era óptimo.	*1 frase*

Antecedente	Relativos variáveis			
	singular		plural	
Pessoas ou coisas	masculino	feminino	masculino	feminino
	o qual	a qual	os quais	as quais
	cujo	cuja	cujos	cujas

- os relativos **o/a qual**, **os/as quais** concordam em género e número com o antecedente e usam-se geralmente precedidos de preposição.
- os relativos **cujo(s)**, **cuja(s)** indicam posse e concordam em género e número com o substantivo que precedem.

• o qual...
O teste correu-me bem. Estudei muito para o teste.	*2 frases*
O teste **para o qual** estudei muito correu-me bem.	*1 frase*
Os amigos chegam amanhã. Falei-te deles.	*2 frases*
Os amigos **dos quais** te falei chegam amanhã.	*1 frase*

• cujo...
Fomos a um restaurante. O dono do restaurante é um amigo nosso.	*2 frases*
Fomos a um restaurante **cujo** *dono* é um amigo nosso.	*1 frase*
O meu avô vive sozinho. A mulher dele morreu há um ano.	*2 frases*
O meu avô, **cuja** *mulher* morreu há um ano, vive sozinho.	*1 frase*

Unidade 46   Exercícios

46.1. Complete com **que, quem** ou **onde**.

1. Gosto muito da casa _onde_ moro.
2. O João é um amigo _____ já me ajudou muito.
3. O rapaz de _____ te falei vem cá hoje.
4. Os livros _____ tu precisas estão todos na biblioteca.
5. O hotel _____ ficámos era óptimo.
6. Os sapatos _____ comprei não são confortáveis.
7. Ela não recebeu a carta _____ eu lhe escrevi.
8. Já viste as fotografias _____ a Ana tirou?
9. O professor com _____ tivemos aulas vai-se embora.
10. Lisboa é a cidade _____ se vai realizar a Expo 98.

46.2. Substitua o relativo invariável pela forma variável correspondente.
1. A camioneta **em que** viajámos tinha ar condicionado.
   A camioneta na qual viajámos tinha ar condicionado.
2. O vizinho **com quem** me dou muito bem vai mudar de casa.
   _____.
3. A reunião **para que** fomos convocados foi adiada.
   _____.
4. O campeonato **em que** eles participam começou ontem.
   _____.
5. Os jogadores **de que** todos falam deixaram o clube.
   _____.
6. O concerto **a que** assistimos acabou muito tarde.
   _____.

46.3. Substitua a parte destacada pelo relativo **cujo(s), cuja(s)**.
1. A rapariga **de olhos azuis** é a irmã da Ana.
   A rapariga, cujos olhos são azuis, é a irmã da Ana.
2. O quarto **com as paredes cor-de-rosa** é o mais bonito.
   _____.
3. Os alunos **com os melhores resultados** ganharam uma bolsa de estudo.
   _____.
4. Os futebolistas **com a camisola às riscas** são da equipa adversária.
   _____.
5. O dicionário **de capa encarnada** é o de português.
   _____.
6. O homem **de casaco preto** é o meu professor.
   _____.

46.4. Ligue as duas frases com um **relativo**.
1. Os produtos são para exportação. Os produtos são feitos nesta fábrica.
   Os produtos que são feitos nesta fábrica são para exportação.
2. Lisboa é uma cidade em festa na noite de 12 para 13 de Junho. O seu padroeiro é o Santo António.
   _____.
3. O empregado era muito simpático. Nós falámos com ele.
   _____.
4. Passei no exame. Estudei muito para o exame.
   _____.
5. Qual é o nome do hotel? Nós ficámos no hotel.
   _____.
6. A senhora ainda está no estrangeiro. Aluguei a casa à senhora.
   _____.
7. A história era mentira. Eles contaram a história.
   _____.
8. Isso é uma afirmação. Eu não concordo com ela.
   _____.
9. Viste o dinheiro? O dinheiro estava em cima da mesa.
   _____.
10. O médico era muito competente. Ele atendeu-me.
    _____.

Unidade 47   poder, conseguir, saber, conhecer, dever, ter de/que, precisar de

• poder
- **possibilidade / oportunidade**
  Ele tem tido muito trabalho. Só agora é que **pode** tirar férias.
  Hoje não **posso** ir com vocês.
- **proibição (negativa)**
  Não se **pode** fumar nos transportes públicos.
  O senhor **não pode** estacionar aqui o carro.
- **pedir / dar autorização**
  — **Posso** entrar?
  — **Pode, pode.**

• conseguir
- **capacidade física / mental**
  Ele não **consegue** estudar com barulho.
  — **Consegues** ver alguma coisa?
  — Não. Sem óculos não **consigo** ver nada.

• saber
- **ter conhecimentos para**
  — **Sabes** trabalhar com esta máquina?
  — Não, não **sei**.
  A minha mãe **sabe** falar russo.

• conhecer
- **já ter visto / já ter ido**
  — **Conheces** o irmão da Ana?
  — **Conheço**, foi meu colega na escola.
  Ainda não **conheço** a tua casa nova.

• dever
- **probabilidade**
  É meia-noite. A estas horas não **deve** estar ninguém no escritório.
- **obrigação moral** (o que está certo)
  Um jornalista **deve** ter cultura geral.
  Não **devias** fumar. Faz mal à saúde.

• ter de / que
- **forte necessidade**
  Tenho que tomar o antibiótico 3 vezes por dia.
- **obrigação**
  Em Portugal os homens **têm de** fazer o serviço militar.

• precisar de
- **necessidade**
  Vou ao banco. **Preciso de** levantar dinheiro.
  Vou às compras. A minha mãe **precisa de** ovos, açúcar e manteiga para fazer um bolo.

Unidade 47 Exercícios

47.1. Complete com **poder, conseguir, saber, conhecer** na forma correcta.

1. *Podia* dizer-me as horas, por favor?
2. Não _____ tocar piano. Nunca aprendi.
3. A Ana não _____ sair. Tem exame amanhã.
4. _____ fazer um telefonema?
5. Não _____ abrir a janela. Ajudas-me?
6. — _____ nadar?
   — _____, mas não muito bem.
7. Estava cansadíssimo, mas não _____ dormir.
8. — _____ o Porto?
   — Não, não _____.
9. Ele não _____ ir à festa no sábado. Estava doente.

10. Não _____ ver nada. Está muita gente à minha frente.
11. Não _____ falar espanhol, mas _____ perceber quase tudo.
12. — _____ os meus pais?
    — Muito prazer. Como estão?
13. Esse rio é perigoso. Não se _____ tomar banho.
14. Ela falou tão depressa que nós não _____ compreender nada.
15. _____ o Algarve muito bem. Vivi em Faro durante 10 anos.

47.2. Complete com **precisar de** na forma correcta.

1. Estás a ficar muito gorda.
   (fazer ginástica) *Precisas de fazer ginástica.*
2. A roupa está suja.
   (lavar) *Precisa de ser lavada.*
3. Os elevadores não funcionam.
   (arranjar) _____

4. Não tenho nada em casa.
   (ir às compras) _____.
5. Ele tem o cabelo muito comprido.
   (cortar o cabelo) _____.

47.3. Complete com **dever** na forma correcta.

A

1. — Sabes se a Ana está em casa?
   — (provavelmente está) *Deve estar.*
2. — De quem é este dicionário de português?
   — (provavelmente é da Mary) _____.
3. — Ninguém atende o telefone.
   — (provavelmente estão de férias) _____.

4. — Estou com febre.
   — (provavelmente estás com gripe)_____.
5. — Ainda não foste ver esse filme?
   — (provavelmente vou amanhã)_____.
6. — Houve um acidente na auto-estrada.
   — (provavelmente ele chega atrasado)_____.

B

1. Estás muito gordo. *Devias* comer menos.
2. Vocês não _____ fumar. Faz mal à saúde.
3. Se não te sentes bem _____ ir ao médico.

4. Eles convidaram-nos para a festa. _____ telefonar a agradecer.
5. _____ sair agora, senão chegas atrasado.
6. O filme é muito violento. Acho que tu não o _____ ver.

47.4. Complete com **ter de / que** na forma correcta.

1. *Temos de* ganhar o jogo hoje. É a nossa última oportunidade.
2. O banco está quase a fechar. (Eu) _____ sair já.
3. Eles compraram o andar. Mas, para isso, _____ pedir um empréstimo.
4. O filme é óptimo. (Vocês) _____ vê-lo.
5. Se queres passar no exame, _____ estudar mais.
6. Ainda fico a trabalhar. _____ acabar estas cartas.

Unidade 48 Gerúndio simples; ir + gerúndio

Vão descendo que eu já vou.

Indo de táxi é mais rápido.

	Verbos terminados em:		
	-ar	**-er**	**-ir**
Infinitivo	fala~~r~~	come~~r~~	abri~~r~~
Gerúndio	**fala<u>ndo</u>**	**come<u>ndo</u>**	**abri<u>ndo</u>**

We use the gerund for

- Usamos **o gerúndio** para:
  - substituir uma oração coordenada *• TO SUBSTITUTE A CO-ORDINATE SENTENCE*
    Assaltaram a casa **e levaram** todos os valores. *— Assault a Hse + left all ut valuables*
    Assaltaram a casa, **levando** todos os valores. *— Assault a Hse, lifting all the valuables*
  - exprimir uma circunstância de tempo *• TO EXPRESS A CIRCUMSTANCE OF TIME*
    Quando viu o carro, parou. *— when I go by car I stop*
    Vendo o carro, parou. *— going by car, I stop*
  - indicar o modo *• INDICATE THE MOOD/FASHION*
    Ela ouvia **com lágrimas** nos olhos o relato do acidente. *— she heard with tears in our eyes the account of the accident*
    Ela ouvia, **chorando**, o relato do acidente. *— she heard, crying, the account of the accident*

GRADUAL REALIZATION
Realização gradual
ir + gerúndio *TO GO + ING*

eu	vou	
tu	vais	
você		**andando**
ele	**vai**	
ela		**escrevendo**
nós	**vamos**	
vocês		**fazendo**
eles	**vão**	
elas		

quase - nearly
Almost
approximately
about

I GO WALKING so that we are almost on time
Vão andando que nós estamos quase prontos.
He goes calling a taxi which I already came in
Vai chamando o táxi que eu já desço.
Until the mother makes lunch, Ana goes laying the Table
Enquanto a mãe faz o almoço, a Ana **vai pondo** a mesa.
As long as the teacher does not arrive, the class go reading the text
Enquanto o professor não chega, os alunos **vão lendo** o texto.

Unidade 48   Exercícios

Complete the phrases substituting the part detailed with ing

48.1. Complete as frases substituindo a parte destacada pelo **gerúndio**.

1. **Quando chego** a casa, abro logo a televisão.
   Chegando a casa, abro logo a televisão.
2. Junte o açúcar com a manteiga **e misture** bem.
   Junte o açúcar com a manteiga, _misturando be_m.
3. As crianças entraram na escola **a cantar e a rir**.
   As crianças entraram na escola, _cantando e ri_ndo
4. Ela ganha a vida **a fazer** comida para fora.
   food I fare
   Ela ganha a vida _fazendo comida parc fora_

5. A mãe ouvia **com um sorriso** as histórias do filho.
   A mãe ouvia _com sorrindo_.
6. **Quando durmo** pouco, fico com dores de cabeça.
   Quando durmindo, fico com dores de cabeça.

48.2. Como...?

1. — Como é que os ladrões entraram?
   — *Partindo* (partir) o vidro.
2. — Como é que a nódoa sai?
   — _esfregando_ (esfregar) com força.
3. — Como é que se demora menos tempo?
   — _indo_ (ir) pela auto-estrada.
4. — Como é que se liga a máquina?
   — _carregando_ (carregar) no botão.
5. — Como é que ele passou no exame?
   — _copiando_ (copiar) pelo colega.

6. — Como é que partiste o braço?
   — _caindo_ (cair) do escadote.
7. — Como é que conseguiste o emprego?
   — _falando_ (falar) com o director.
8. — Como é que arranjaram o dinheiro?
   — _pedindo_ (pedir) um empréstimo ao banco.
9. — Como é que resolveste o problema?
   — _comprando_ (comprar) um segundo carro.
10. — Como é que vocês ganharam o campeonato?
    — _trabalhando_ (trabalhar) muito.

48.3. Complete com **ir + gerúndio**.

A

Enquanto o professor não chega, os alunos ...
1. *vão lendo o texto* (ler o texto).
2. _escrevendo_ (escrever a composição).
3. _fazendo_ (fazer os exercícios).
4. _ouvindo_ (ouvir a cassete).
5. _estudando_ (estudar a gramática).
6. _preparando_ (preparar a lição).

B

Enquanto a D. Rita vai às compras, a empregada ...

to hang out the clothes
iron the clothes

1. *vai fazendo as camas* (fazer as camas).
2. _arrumando_ (arrumar os quartos).
3. _limpando_ (limpar o pó). *Tidy / clean / dust*
4. _estendendo_ (estender a roupa).
5. _preparando_ (preparar o almoço).
6. _pondo_ (pôr a mesa).

C

Enquanto o senhor doutor está na reunião, eu ...

1. *vou telefonando aos clientes* (telefonar aos clientes).
2. _vou fazendo os relatórios_ (fazer os relatórios).
3. _vou traduzindo a carta_ (traduzir a carta). *translate*
4. _arquivando os processos_ (arquivar os processos). *Archive*
5. _tirando fotocópias_ (tirar fotocópias). *To take P/C*
6. _preenchendo os impressos_ (preencher os impressos). *To fill in the form*

101

Unidade 49   desde e há

- **desde** e **há** (expressões de tempo em relação ao presente).

    Hoje é sexta.
    Não vejo o João e a Ana **desde segunda**.
    Não os vejo **há cinco dias**.
- Usamos **desde** para indicar **o começo** de um **período de tempo**.

começo do
período
de tempo

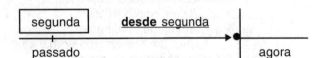

desde	segunda ontem as 10 horas o dia 20 de Julho Março 1990

- Usamos **há** para indicar o **período de tempo**.

há	um dia cinco dias uma hora uma semana dois meses três anos

Compare:

Ele está de férias **desde a semana passada**.
Ele está de férias **há uma semana**.
Ando a tirar o curso **desde 1990**.
Ando a tirar o curso **há quatro anos**.
Conheço-a **desde 1970**.
Conheço-a **há muito tempo**.

- **há** (expressão de tempo em relação ao passado).

    Ela saiu de casa **há meia hora**.
    — Quando é que chegaste?
    — **Há** dez minutos.
    Estive com o Paulo **há dois dias**.

há	dez minutos uma hora dois dias três meses um ano

- Usamos **há** para indicar um **momento no passado**. Nestes casos o verbo está sempre no passado

Unidade 49 Exercícios

49.1. Complete com **desde** ou **há**.

1. Ele saiu _____ cinco minutos.
2. Ando a ler o livro _____ duas semanas.
3. Ela estuda inglês _____ os quatro anos.
4. Estou à espera do autocarro _____ meia hora.
5. A casa está alugada _____ Janeiro.
6. Estivemos em Paris _____ três anos.
7. Não vou ao teatro _____ muito tempo.
8. Comprei o carro _____ dois meses.
9. O João está doente _____ quarta-feira.
10. Não ando de bicicleta _____ criança.

49.2. Faça frases com **desde** e **há**.

1. São dez da manhã. Acordei às 8h00.
   Estou acordada desde as 8h00.
   Estou acordada há duas horas.
2. Estamos em Agosto. Eles foram viver para o Porto em Janeiro.
   Eles vivem _____.
   Eles vivem _____.
3. Hoje é sexta-feira. Falei com ele na segunda-feira.
   Não o vejo _____.
   Não o vejo _____.
4. É meio-dia. Tomei o pequeno-almoço às 7h00.
   Já não como _____.
   Já não como _____.
5. Hoje é dia 15. Mudaram para a casa nova no dia 1.
   Estão na casa nova _____.
   Estão na casa nova _____.

49.3. Complete com **desde** e **há**.

1. Eles estão casados _____ 1970. Estão casados _____ mais de vinte anos.
2. Ontem encontrei o João. Já não o via _____ imenso tempo, _____ os tempos da escola.
3. São 14h00. Estou a estudar _____ meia hora. Estou a estudar _____ as 13h30.
4. Vou telefonar aos meus pais. Já não falo com eles _____ uns meses, mais precisamente _____ o Natal.
5. O professor está doente. Não temos aulas _____ quinta-feira, _____ quase uma semana.

49.4. Responda às seguintes perguntas com **desde** ou **há**.

1. Há quanto tempo não lê o jornal? (ontem) _____.
2. Quando é que chegaram? (cinco minutos) _____.
3. Há quanto tempo estuda português? (1992) _____.
4. Desde quando é que vives aqui? (Dezembro) _____.
5. Quando é que foi a estreia? (quinze dias) _____.
6. Há quanto tempo estás à espera? (duas horas) _____.
7. Há quanto tempo estás à espera? (as duas horas) _____.
8. Há quanto tempo não anda de avião? (os cinco anos) _____.
9. Há quanto tempo não anda de avião? (cinco anos) _____.

Unidade 50   haver; haver de + infinitivo

Não **há** nada
dentro da caixa.

Há um coelho dentro da caixa.

Há dois coelhos
dentro da caixa.

Verbo haver / forma impessoal						
presente	p.p.s.	imperfeito	pret. perf. composto	pret. mais-que-perf. composto	futuro	condicional
há	houve	havia	tem havido	tinha havido	haverá	haveria

- o verbo **haver** pode ser equivalente a:
  - **ter**
    Há morangos para a sobremesa. (= Temos morangos para a sobremesa.)
  - **dar / ser transmitido**
    Hoje **há** um bom filme na televisão. (= Hoje dá/é transmitido um bom filme na televisão.)
  - **estar**
    Havia muita gente na rua àquela hora. (= Estava muita gente na rua àquela hora.)
  - existir
    Há várias teorias sobre esse assunto. (= Existem várias teorias sobre esse assunto.)
  - **acontecer / passar-se**
    O que é que **houve**? (= O que é que aconteceu/se passou?)

Futuro - Intenção/convicção

	haver de + infinitivo	
eu	**hei-de**	
tu	**hás-de**	
você ele ela	**há-de**	**fazer ir ser**
nós	**havemos de**	
vocês eles elas	**hão-de**	

- Usamos **haver de + infinitivo** para exprimir forte **intenção** ou **convicção** relativamente a acções ou factos futuros.

— O que é que queres ser mais tarde?

— **Hei-de ser** médico.

Fomos a Évora. É uma cidade tão bonita que **havemos de voltar** lá.

— Já encontraste a tua mala?

— Ainda não, mas **hei-de encontrar**.

Unidade 50   Exercícios

50.1. Substitua o verbo destacado pela forma correcta do verbo **haver**.

1. Ontem não **tivemos** aulas.
   Ontem não houve aulas.

2. Ainda **estão** duas pessoas na sala de espera.
   _____.

3. **Temos tido** muito trabalho ultimamente.
   _____.

4. Ontem à noite **deu** um programa muito interessante na TV.
   _____.

5. Antigamente **existia** um café naquela esquina.
   _____.

6. Amanhã **temos** uma visita de estudo aos Jerónimos.
   _____.

7. Tu não estás bem. O que é que **aconteceu**?
   _____?

8. Depois da palestra, **tivemos** um debate.
   _____.

9. **Temos** tempo para tomar um café?
   _____.

10. **Está** alguém no escritório a esta hora?
    _____.

11. Não, não **está** lá ninguém.
    _____.

12. Depois do sorteio, **teremos** uma festa--convívio.
    _____.

13. Disseram que no próximo ano **teriam** mais bolsas de estudo para atribuir.
    _____.

50.2. A Ana está a conversar com a Rita sobre o cruzeiro que tenciona fazer ao Mediterrâneo. Complete o diálogo com **haver de + infinitivo** na forma correcta.

Ana: Um cruzeiro pelo Mediterrâneo *há-de ser* (ser) uma experiência muito interessante. Eu _____ (conhecer) outras terras e outros povos.

Rita: Sim e tu _____ (aprender) muito sobre os costumes desses países.

Ana: Eu e o meu marido _____ (tirar) fotografias para te mostrarmos.

Rita: Óptimo. Acho que vocês nunca _____ (esquecer) essas férias. _____ (divertir-se) bastante e depois _____ (contar)-me tudo.

Ana: Claro e um dia, quem sabe, _____ (ir) tu connosco.

50.3. Substitua o futuro por **haver de + infinitivo** na forma correcta.

1. Eles **serão** contactados ainda hoje.
   Eles hão-de ser contactados ainda hoje.

2. Da próxima vez **farás** o que o médico te aconselhar e tudo **correrá** bem.
   _____

3. Seguindo as indicações do mapa, **encontrarão** facilmente o hotel.
   _____

4. Durante a nossa estada em Lisboa, **visitaremos** o Mosteiro dos Jerónimos.
   _____

5. Faz como te expliquei e não **haverá** problemas.
   _____

6. Eles gostaram imenso de Veneza. Um dia, também eu lá **irei**.
   _____

Apêndice 1

Lista de Verbos

Presente e Pretérito Perfeito Simples do Indicativo

			eu	tu	você ele/ela	nós	vocês eles/elas
Regulares	falar	P.I	falo	-as	-a	-amos	-am
	beber		bebo	-es	-e	-emos	-em
	abrir		abro	-es	-e	-imos	-em
	-ar	P.P.S	-ei	-aste	-ou	-ámos	-aram
	-er		-i	-este	-eu	-emos	-eram
	-ir		-i	-iste	-iu	-imos	-iram
dar		P.I	dou	dás	dá	damos	dão
		P.P.S	dei	deste	deu	demos	deram
estar		P.I	estou	estás	está	estamos	estão
		P.P.S	estive	estiveste	esteve	estivemos	estiveram
dizer		P.I	digo	dizes	diz	dizemos	dizem
		P.P.S	disse	disseste	disse	dissemos	disseram
fazer		P.I	faço	fazes	faz	fazemos	fazem
		P.P.S	fiz	fizeste	fez	fizemos	fizeram
trazer		P.I	trago	trazes	traz	trazemos	trazem
		P.P.S	trouxe	trouxeste	trouxe	trouxemos	trouxeram
haver		P.I			há		
		P.P.S			houve		
ler		P.I	leio	lês	lê	lemos	lêem
		P.P.S			Regular		
ver		P.I	vejo	vês	vê	vemos	vêem
		P.P.S	vi	viste	viu	vimos	viram
perder		P.I	perco	perdes	perde	perdemos	perdem
		P.P.S			Regular		
poder		P.I	posso	podes	pode	podemos	podem
		P.P.S	pude	pudeste	pôde	pudemos	puderam
querer		P.I	quero	queres	quer	queremos	querem
		P.P.S	quis	quiseste	quis	quisemos	quiseram
saber		P.I	sei	sabes	sabe	sabemos	sabem
		P.P.S	soube	soubeste	soube	soubemos	souberam
ser		P.I	sou	és	é	somos	são
		P.P.S	fui	foste	foi	fomos	foram
ter		P.I	tenho	tens	tem	temos	têm
		P.P.S	tive	tiveste	teve	tivemos	tiveram
vir		P.I	venho	vens	vem	vimos	vêm
		P.P.S	vim	vieste	veio	viemos	vieram
dormir		P.I	durmo	dormes	dorme	dormimos	dormem
		P.P.S.			Regular		
ir		P.I	vou	vais	vai	vamos	vão
		P.P.S	fui	foste	foi	fomos	foram
ouvir		P.I	ouço/oiço	ouves	ouve	ouvimos	ouvem
		P.P.S			Regular		
pedir		P.I	peço	pedes	pede	pedimos	pedem
		P.P.S			Regular		
sair		P.I	saio	sais	sai	saímos	saem
		P.P.S	saí	saíste	saiu	saímos	saíram
servir		P.I	sirvo	serves	serve	servimos	servem
		P.P.S			Regular		
subir		P.I	subo	sobes	sobe	subimos	sobem
		P.P.S			Regular		
pôr		P.I	ponho	pões	põe	pomos	põem
		P.P.S	pus	puseste	pôs	pusemos	puseram
haver de		P.I (auxiliar)	hei-de	hás-de	há-de	havemos de	hão-de

(handwritten annotation next to "haver": IS THERE / ARE THERE)

Apêndice 1

Lista de Verbos

Pretérito Imperfeito do Indicativo

		eu	tu	você/ ele/ela	nós	vocês/ eles/elas
Regulares	-ar	**-ava**	**-avas**	**-ava**	**-ávamos**	**-avam**
	-er	**-ia**	**-ias**	**-ia**	**-íamos**	**-iam**
	-ir	**-ia**	**-ias**	**-ia**	**-íamos**	**-iam**
ser	Imp.	era	eras	era	éramos	eram
ter	Imp.	tinha	tinhas	tinha	tínhamos	tinham
vir	Imp.	vinha	vinhas	vinha	vínhamos	vinham
pôr	Imp.	punha	punhas	punha	púnhamos	punham

Futuro Imperfeito do Indicativo

	eu	tu	você/ ele/ela	nós	vocês/ eles/elas
Regulares	**-ei**	**-ás**	**-á**	**-emos**	**-ão**
dizer	direi	dirás	dirá	diremos	dirão
fazer	farei	farás	fará	faremos	farão
trazer	trarei	trarás	trará	traremos	trarão

Condicional Presente

	eu	tu	você/ ele/ela	nós	vocês/ eles/elas
Regulares	**-ia**	**-ias**	**-ia**	**-íamos**	**-iam**
dizer	diria	dirias	diria	diríamos	diriam
fazer	faria	farias	faria	faríamos	fariam
trazer	traria	trarias	traria	traríamos	trariam

Apêndice 2

Pronomes Pessoais

Sujeito	Complemento				Reflexo
	Indirecto	Directo	Com preposição	Com preposição "com"	
eu	me	me	mim	comigo	me
tu	te	te	ti	contigo	te
você		o, a	si	consigo	
o senhor		o	si (o senhor)	consigo (com o senhor)	
a senhora	lhe	a	si (a senhora)	consigo (com a senhora)	se
ele		o	ele	com ele	
ela		a	ela	com ela	
nós	nos	nos	nós	connosco	nos
vocês			vocês	com vocês	
os senhores	vos	vos	os senhores	convosco	
as senhoras			as senhoras	convosco	se
eles	lhes	os	eles	com eles	
elas		as	elas	com elas	

Alterações sofridas pelas formas de complemento directo **o, a, os, as**:

- r̸
- s̸ } l
- z̸

Vou comprar as laranjas. ⟶ Vou comprá-**las**.

Tu lava**s** os morangos. ⟶ Tu lava-**los**.

Tra**z** o livro amanhã. ⟶ Trá-**lo** amanhã.

- -m
- -ão } n
- -õe

Faça**m** o trabalho. ⟶ Façam-**no**.

Eles d**ão** as informações. ⟶ Eles dão-**nas**.

P**õe** o chapéu. ⟶ Põe-**no**.

☞ | Excepções:

Ele quer o bolo. ⟶ Ele quer<u>e</u>-o.

Tu tens a caneta? ⟶ Tu te<u>m</u>-la.

Apêndice 3

Plural dos substantivos e adjectivos

Terminados em:

* **Vogal** ou **ditongo** (excepto - ão)

mesa - mesas	irmã - irmãs
cidade - cidades	pé - pés
táxi - táxis	mãe - mães
livro - livros	mau - maus
peru - perus	céu - céus

Ditongo - ão

irmão - irmãos / mão - mãos

alemão - alemães / pão - pães

estação - estações / tostão - tostões

* **Consoante**

   - **l**

      - **al**: jornal — jornais
      - **el**: hotel - hotéis / pastel - pastéis / possível - possíveis
      - **il**: difícil - difíceis / fácil - fáceis
      - **ol**: espanhol - espanhóis
      - **ul**: azul - azuis

   - **m**

   bom - bons / homem - homens / jardim - jardins

   - **r**

   cor - cores / lugar - lugares / mulher - mulheres

   - **s**

   lápis - lápis

   país - países / português - portugueses

   - **z**

   feliz - felizes / rapaz - rapazes / vez - vezes

CHAVE DOS EXERCÍCIOS

Unidade 1

1.1.

2. somos
3. sou
4. são

5. és
6. é
7. é

8. são
9. somos
10. são

1.2.

2. sou/é
3. é
4. são
5. são
6. é

7. é
8. é
9. és
10. são
11. é

12. é
13. somos
14. é
15. é

1.3.

2. O futebol é um desporto muito popular.
3. Tu não és espanhol.
4. Elas são boas alunas.
5. Esta casa é moderna.
6. Nós somos secretárias.
7. O teste não é difícil.

8. Estes discos são da minha irmã.
9. A minha secretária é de madeira.
10. Aquela camisola não é cara.
11. Tu e o Miguel são amigos.
12. Eu sou magro.
13. A caneta é da Ana.

1.4.

3. O cão é um animal selvagem.
4. A gasolina é muito cara.
5. O avião é um meio de transporte rápido.
6. Portugal não é um país grande.
7. Nós somos estrangeiros.
8. Hoje (não) é quarta-feira.
9. Este prédio (não) é muito alto.

10. Os Alpes não são na Ásia.
11. A minha camisola (não) é de lã.
12. Vocês (não) são economistas.
13. Esta mala (não) é pesada.
14. Tu e ele (não) são amigos.
15. O rio Tejo é em Portugal.

Unidade 2

2.1.

1. estás
2. está
3. está
4. estamos

5. está
6. estão
7. estou

8. estão
9. estão
10. estamos

2.2.

1. está
2. está/estão
3. está
4. estou
5. estou

6. está
7. estão
8. está
9. estão
10. estão

11. está
12. estão
13. está/está
14. estamos
15. está

2.3.

2. Hoje está muito calor.
3. Os meus amigos estão na escola.
4. Eu estou na sala de aula.
5. A sopa não está muito quente.
6. Tu estás cansado.
7. Lá fora está muito frio.
8. O Pedro está deitado, porque está doente.

9. O almoço está pronto.
10. O cão não está com fome.
11. Eu e a Ana estamos com sono.
12. A D.Graça não está no escritório.
13. Ela está de férias.
14. Eles estão à espera do autocarro.
15. Vocês não estão em casa.

Unidade 3

3.1.

1. está
2. está
3. são
4. está
5. são
6. está
7. é
8. estou
9. está
10. estão
11. está
12. é
13. é/está
14. é
15. estão

3.2.

1. Hoje nós não estamos em casa à noite.
2. Eu estou cansado.
3. A minha mulher é professora.
4. O João está com fome.
5. Tu estás atrasado.
6. Esta sala é muito escura.
7. Eu não estou com sede.
8. Ela é de Lisboa.
9. De manhã está muito frio.
10. A Ana está no estrangeiro.
11. As canetas estão em cima da mesa.
12. Os bolos de chocolate são sempre muito doces.

3.3.

2. O quadro é muito interessante.
   O quadro está na parede
3. As mesas são grandes.
   As mesas estão sujas.
4. O supermercado é grande.
   O supermercado está aberto.
5. O empregado é simpático.
   O empregado está cansado.
6. Ele é inteligente.
   Ele está contente.

Unidade 4

4.1

2. está a fazer
3. está a tomar
4. estou a ver
5. estamos a compreender
6. está a chegar
7. está a beber
8. estou a ler
9. estão a brincar
10. está a chover

4.2.

3. Eu (não) estou a ouvir música.
4. Hoje (não) está a chover.
5. O telefone (não) está a tocar.
6. Eu (não) estou a ler o jornal.
7. Os meus colegas (não) estão a fazer exercícios.
8. Eu (não) estou a conversar.
9. Eu (não) estou a tomar café.
10. Eu (não) estou a comer uma banana.

4.3.

1. Ele está a apanhar sol.
2. Ele está a ver televisão.
3. Ela está a ler um livro.
4. Ele está a escrever uma carta.
5. Ele está a andar de bicicleta.
6. Ele está a atravessar a rua.

Unidade 5

5.1.

1. falo
2. mora
3. usas
4. compra
5. almoçamos
6. trabalham
7. pagam
8. tomam
9. fica

5.2.

1. fecham
2. fuma
3. moramos
4. ensina
5. gosto
6. jogam
7. levanto
8. ficamos
9. lava
10. usa
11. apanha
12. começa/acaba

5.3.

1. toca
2. falamos
3. trabalho
4. gosta
5. andam
6. estudam
7. tomo
8. paga
9. telefona
10. jantas
11. encontram
12. ganha
13. brincam

Unidade 6

6.1.

1. escreve
2. compreende
3. comemos
4. conheço
5. bebes
6. resolvem
7. desce
8. aqueço
9. vivo
10. correm
11. aprendem
12. esqueço

6.2.

1. bebemos/comemos
2. aprendem
3. parece
4. vivem
5. chove
6. escreve
7. compreendo
8. atende
9. esqueces
10. desço
11. conhece
12. responde

6.3.

2. Bebo.
3. Resolvo.
4. Conheço.
5. Aprendo.
6. Vivo.
7. Chove.
8. Escrevo.
9. Atendo.
10. Compreendo.
12. Bebemos.
13. Corremos.
14. Vivemos.
15. Conhecemos.
16. Compreendemos.
17. Descemos.
18. Aprendemos.
19. Resolvemos.
20. Recebemos.

Unidade 7

7.1.

1. sei
2. traz
3. vêem
4. digo
5. queremos
6. posso
7. põe
8. lêem
9. trago
10. quer
11. vejo
12. lê
13. faço
14. leio
15. põem
16. ponho
17. faz
18. perco
19. vêem
20. lêem

7.2.

2. lêem
3. fazem
4. sabe
5. vê
6. quer/quero
7. põe/ponho/põe

7.3.

2. Eu nunca vejo televisão.
3. Ela faz anos hoje.
4. Amanhã (eu) faço uma festa em casa.
5. (Eu) não sei o nome dela.
6. O sr. Ramos lê o jornal todos os dias.
7. Eu trago uma prenda para a Ana.
8. Eu não posso sair à noite.
9. Eles trazem os livros na pasta.
10. Eu leio o jornal todos os dias.
11. Ela sabe falar muitas línguas.
12. A empregada traz o pão de manhã.
13. Hoje (eu) quero ficar em casa.
14. Ele vê mal ao longe.
15. Eu já leio o jornal em português.
16. Eu nunca perco o chapéu de chuva.

Unidade 8

8.1.

1. abrem
2. peço
3. caímos
4. oiço/ouço
5. durmo
6. saem
7. consigo
8. subimos
9. sinto
10. vestes
11. parte
12. prefiro
13. vou
14. vêm
15. vamos
16. venho

8.2.

2. O empregado serve o café à mesa.
3. Ela sai com os amigos.
4. O senhor segue sempre em frente.
5. Os bancos abrem às 8h30.
6. Ela divide o bolo com os irmãos.
7. Eu prefiro ficar em casa.
8. O avião parte às 17h00.
9. Nós vamos ao cinema.
10. Eu não consigo estudar com barulho.
11. Eles vêm de autocarro.

.3.

2. Consigo.
3. Durmo.
4. Vou.
5. Saio.
6. Peço.
7. Ouço/oiço.
8. Visto.

9. Vou.
10. Parto.
12. Subimos.
13. Vamos.
14. Ouvimos.
15. Partimos.

16. Conseguimos.
17. Vamos.
18. Preferimos.
19. Despimos.
20. Saímos.

Unidade 9

.1.

2. (Eles) fazem reportagens.
   Agora estão a entrevistar um político.
   não estão.
3. (Ele) ensina português.
   Agora está a corrigir exercícios.
   está.

4. (Ela) escreve cartas.
   Agora está a atender o telefone.
   não está.
5. (Eles) estudam línguas.
   Agora estão a fazer exercícios.
   estão.

.2.

2. vêem
3. estou a arranjar
4. bebe/come
5. jogam
6. estão a jogar

7. estás a fazer/estou a estuaar
8. gostam/gostamos
9. estou a ouvir
10. está a tomar.

Unidade 10

0.1.

1. tenho
2. tem
3. temos
4. têm

5. têm
6. tens
7. tem
8. têm

9. tem
10. temos
11. têm
12. têm

0.2.

1. têm
2. temos
3. tem
4. tem

5. tenho
6. tenho
7. têm/têm

8. tens/tenho
9. tem/tem
10. tenho

0.3.

3. Não, não temos, mas ele tem.
4. Tenho. Tenho três filhos.
5. Não, não tenho, mas eles têm.
6. Tem. Tem quatro irmãos.
7. Não, não tenho, mas a Ana tem.

8. Temos. Temos dois carros.
9. Não, não tenho, mas ela tem.
10. Temos. Temos muitos amigos.
11. Não, não tenho, mas o Pedro tem.
12. Não, não temos, mas ele tem.

Unidade 11

1.1.

1. fui
2. teve
3. esteve
4. foi
5. foi
6. tive

7. estive
8. tiveste
9. fomos
10. fui
11. foram
12. tivemos

13. esteve
14. foste
15. teve
16. foram
17. estivemos
18. tiveram

19. estiveste
20. foste
21. fomos
22. tiveram
23. foi
24. estiveram

113

11.2.

2. Foram, foram.
3. Foi, foi.
4. Foi, foi.
5. Foi, foi.
6. Fui, fui.
8. Fui, fui.
9. Fui, fui.
10. Fomos, fomos.

11. Foi, foi.
12. Fui, fui.
13. Fomos, fomos.
15. Tivemos, tivemos.
16. Tive, tive.
17. Tive, tive.
18. Tive, tive.

20. Esteve, esteve.
21. Estive, estive.
22. Estive, estive.
23. Estive, estive.
24. Estive, estive.
25. Estivemos, estivemos.

11.3.

1. ele foi de carro para o trabalho.
2. fui ao supermercado.
3. fomos ao cinema.
4. tive um teste.
5. esteve doente.

6. estive em casa à noite.
7. foi um bom aluno
8. estiveram
9. foram
10. foram a uma festa.

Unidade 12

12.1.

1. comprou
2. dormiste
3. falámos
4. partiram

5. nasceu
6. paguei
7. fiquei
8. comemos

9. conseguiu
10. perderam
11. comecei
12. abriste

12.2.

2. ouvi
3. comprámos
4. trabalhei

5. dormi
6. paguei
7. perdemos

8. tomei
9. encontrámos
10. li

12.3.

Tomou duche/tomou o pequeno-almoço às 11h00/foi às compras
À tarde leu o jornal/ouviu música
À noite jantou fora/foi ao cinema com os amigos/voltou para casa à meia-noite
dormiu até ao meio-dia/almoçou fora
À tarde arrumou a casa/escreveu aos amigos/telefonou à avó
À noite ficou em casa/foi para a cama cedo

Unidade 13

13.1.

1. pus
2. pôde
3. deu
4. vi

5. fez
6. quiseste
7. vim
8. trouxe

9. souberam
10. vimos
11. trouxeram
12. pôs

13. veio
14. fiz
15. demos
16. pude

13.2.

1. fizeram
2. quis
3. veio/trouxe
4. pôs

5. pude
6. vimos
7. fizeram
8. vieram

9. deu
10. viste
11. souberam
12. viu/vi

13.3.

2. Eles trouxeram presentes para todos.
3. Eu não pude ir ao cinema.
4. Nós vimos um bom filme na TV.
5. Ninguém fez os exercícios.
6. Vocês souberam o que aconteceu?
7. Os meus amigos deram uma festa no sábado.
8. Ela quis ficar em casa.

9. Eles puseram os casacos e saíram.
10. O que é que tu fizeste ontem?
11. Vocês trouxeram os livros?
12. Eu não vi o acidente.
13. O Pedro não pôde ir ao futebol.
14. Quantos erros deu a Ana na composição?
15. Eu vim de carro para a escola.

Unidade 14

4.1.
3. veste-se
4. encontram-se
5. se esqueceu
6. se chama
7. se lembram
8. deitam-se
9. te lavaste
10. me lavei

4.2.
1. me levanto
2. encontramo-nos
3. sentas-te/sento-me
4. chama-se
5. deitamo-nos
6. lembro-me
7. esqueci-me
8. nos lavámos
9. me lembro
10. levantei-me/levantou-se

Unidade 15

5.1.
1. era
2. ficava
3. punha
4. andavas
5. comíamos
6. tinha
7. liam
8. viam
9. iam
10. ouvias
11. faziam
12. vinha
13. estava
14. pedíamos
15. queria
16. levantava-me
17. escrevia
18. ajudavas
19. íamos
20. vinham
21. eras

5.2.
2. Fazia a cama.
3. Arrumava a roupa.
4. Tomava duche.
5. Depois descia até ao 1° andar para tomar o pequeno-almoço.
6. Comia em silêncio.
7. Assistia à missa das 7h00.
8. Começava as aulas às 8h00.
9. À tarde fazia ginástica.
10. Das 17h00 às 18h00 estudava na biblioteca do colégio.
11. Às 19h00 jantava na cantina.
12. Depois do jantar conversava com os amigos e via televisão.
13. Cerca das 21h00 ia dormir.

5.3.
1. eram/viviam
2. levantavam-se
3. saíam/iam
4. tinham
5. voltavam/almoçavam/iam
6. brincavam
7. jantavam/deitavam-se

Unidade 16

6.1.
2. Costumava trabalhar num escritório; agora trabalho num banco.
3. Ao domingo costumavam ficar em casa; agora vão ao cinema.
4. Costumávamos ter férias em Julho; agora temos férias em Agosto.
5. Costumava ser muito gordo; agora é magro.
6. A Ana costumava estudar pouco; agora estuda muito.
7. O sr. Machado costumava chegar atrasado; agora chega a horas.
8. Costumava praticar desporto; agora não faço nada.
9. Aos sábados costumava ir à praça; agora vai ao supermercado.
10. As crianças costumavam brincar em casa; agora brincam no jardim.
11. O João costumava viver com os pais; agora vive sozinho.

16.2.

2. Antigamente não havia aviões.
   As pessoas costumavam viajar de comboio.
3. Antigamente não havia carros.
   As pessoas costumavam andar mais a pé.
4. Antigamente não havia telefones.
   As pessoas costumavam escrever cartas.

5. Antigamente não havia televisão.
   As pessoas costumavam conversar mais.
6. Antigamente não havia cinema.
   As pessoas costumavam ir ao teatro.

16.3.

2. A mãe costumava fazer compras na mercearia local.
3. As crianças costumavam brincar na rua.

4. À tarde costumavam dar passeios de bicicleta.
5. Aos domingos costumavam fazer um piquenique.

Unidade 17

17.1.

1. tinhas/tinha/tinha
2. eram
3. era

4. tinha/tinha/eram
5. eram

17.2.

2. Enquanto os filhos tomavam duche, a mãe arrumava os quartos.
3. Enquanto eu via televisão, ele lia o jornal.
4. Enquanto eles preparavam as bebidas, nós púnhamos a mesa.
5. Enquanto ela estava ao telefone, tomava notas.
6. Enquanto a Ana e o João estudavam, ouviam música.
7. Enquanto a orquestra tocava, o sr. Ramos dormia.
8. Enquanto as crianças brincavam, nós conversávamos.
9. Enquanto o professor ditava, nós escrevíamos os exercícios.
10. Enquanto a empregada limpava a casa, eu tratava das crianças.

Unidade 18

18.1.

2. O João estava a dormir.
   A mãe entrou.
   Ele levantou-se.
3. O sr. Pinto estava a pintar a sala.
   Ele caiu do escadote.
   Ele partiu o braço.

4. Eles estavam a jogar no jardim.
   Começou a chover.
   Eles foram para casa.
5. Eu estava a ouvir música.
   O chefe chegou.
   Eu desliguei o rádio.

18.2.

2. O João estava a tomar duche quando o telefone tocou.
3. Estava a chover quando nós saímos de casa.
4. Os alunos estavam a trabalhar quando o professor entrou.
5. Eu estava a ver televisão quando os meus amigos tocaram à porta.
6. Eles estavam a jogar futebol quando começou a chover.
7. Nós estávamos a trabalhar quando o computador se avariou.

18.3.

3. tinha/comi
4. estava/fui
5. chegou/tomávamos
6. estava/estavam/cheguei
7. foi/estava
8. fizeram/fomos
9. estava a trabalhar (trabalhava)/saí

10. encontrámos/trazia
11. estava a tomar (tomava)/ouvi/levantei-me/olhei/vi
12. era/era/usava
13. era/tinha
14. estava/falámos
15. vinham/viram

Unidade 19

19.1.
2. trazia
3. passava
4. dizia
5. dava

19.2.
2. queria
3. ia
4. conseguíamos
5. preferia
6. chegavas
7. adoravam
8. queria
9. ficava
10. era
11. apetecia
12. gostava

19.3.
2. Ia ao cinema, mas tenho de estudar.
3. Comia o bolo, mas estou a fazer dieta.
4. Eles iam à festa, mas não podem sair.
5. Fazia a viagem, mas não tenho dinheiro.
6. Tomava um café, mas o café faz-me mal.

Unidade 20

20.1.
2. tinha comido.
3. tinham voltado para França.
4. Tinha tido um acidente.
5. Tinha dormido 12 horas.
6. tinha combinado ir ao concerto.
7. tinha aprendido.
8. tínhamos visto o filme.
9. tinha andado de avião.
10. As crianças tinham ido para a cama.

20.2.
2. tinha começado/entrámos
3. levantei/tinha arrumado
4. tínhamos acabado/telefonaste
5. encontrámos/tinha falado

20.3.
3. tinham dormido
4. dormiste
5. tive
6. tinha tido
7. andei
8. tinha andado

Unidade 21

21.1.
2. tem ido/tem estado
3. tenho tido
4. temos ido
5. tem feito/têm saído

21.2.
2. Eu não tenho falado com eles ultimamente.
3. Vocês têm encontrado o João?
4. Ele não tem vindo trabalhar.
5. A tua equipa tem ganho muitos jogos?
6. Nós temos perdido quase todos os jogos.
7. O tempo tem estado óptimo.
8. Eles têm ido à praia todos os dias.
9. Nestes últimos anos eu não tenho tido férias.
10. O meu marido tem trabalhado muito.

21.3.
2. tem descansado/nasceu
3. fui/tenho estado
4. acabaram/têm tido
5. tenho visto/ficou
6. compraram/têm dado
7. começou/tem feito
8. mudei/tenho encontrado
9. temos ido/nos casámos
10. tem vindo/abriu

Unidade 22

22.1.

2. Ela vai fazer os exercícios.
   Ela está a fazer os exercícios.
   Ela acabou de fazer os exercícios.
3. O João vai tomar duche.
   O João está a tomar duche.
   O João acabou de tomar duche.

4. Eu e a Ana vamos pôr a mesa.
   Eu e a Ana estamos a pôr a mesa.
   Eu e a Ana acabámos de pôr a mesa.
5. Eles vão falar com o professor.
   Eles estão a falar com o professor.
   Eles acabaram de falar com o professor.

22.2.

2. O que é que a Ana vai fazer depois das aulas?
   Vai jogar ténis.
3. O que é que tu vais fazer logo à tarde?
   Vou estudar português.
4. O que é que nós vamos fazer amanhã de manhã?
   Vamos fazer compras.
5. O que é que vocês vão fazer no próximo fim-de-semana?
   Vamos passear até Sintra.

22.3.

2. Acabámos de entrar.
3. Acabou de levantar-se.

4. Acabou de vestir-se.
5. Acabaram de chegar.

Unidade 23

23.1.

1. irei	5. farei	9. virão	13. ouvirão
2. terás	6. diremos	10. sairei	14. verás
3. viajará	7. trará	11. falaremos	15. porá
4. partirá	8. serão	12. comeremos	16. poderei

23.2.

2. Ficará lá dois dias.
3. No dia 18 chegará a Paris.
4. Cinco dias depois viajará para Viena.

5. De Viena irá para Roma.
6. No dia seguinte partirá para Atenas.

23.3.

2. será
3. falarei

4. gostarei
5. farei

23.4.

2. começará/visitará
3. estará

4. irá/ficará
5. terá

23.5.

1. será
2. estará
3. será

4. passarão
5. estará

Unidade 24

24.1.

1. daríamos	5. iria	9. veriam	13. teriam
2. serias	6. leria	10. diríamos	14. poria
3. faria	7. trarias	11. viria	15. ouviriam
4. poderia	8. estaria	12. falaria	16. chegaríamos

24.2.

2. Daria...
3. Poderia...
4. ...deveriam...
5. ...gostaria...

6. ...seria...
7. ...estaria...
8. Poderíamos...

9. ...adoraria...
10. ...seria...
11. ...importaria...

24.3.

2. iria
3. pagaria
4. gastaria
5. falaria

6. seria
7. veria
8. leria

9. diria
10. contaria

Unidade 25

25.1.

2. as	12. a	22. a	32. o
3. a	13. o	23. o	33. a
4. os	14. a	24. a	34. o
5. a	15. o	25. o	35. a
6. as	16. a	26. a	36. os
7. a	17. o	27. o	37. a
8. o	18. a	28. a	38. o
9. as	19. o	29. o	39. a
10. a	20. a	30. a	40. o

25.2.

2. uma
3. um
4. uma
5. um

6. uma
7. um
8. uma
9. uma

10. uma
11. um
12. umas

25.3.

2. a
3. uma
4. A
5. o
6. uma

7. o
8. O/a
9. uma/a
10. um
11. umas/uns

12. As
13. um
14. um/uma
15. O/a
16. um

Unidade 26

26.1.

2. isso
3. aquilo
4. isso

5. aquilo
6. isto
7. isto

8. aquilo
9. isto
10. isso

11. isto
12. isso

26.2.

2. aquilo
3. isto
4. aquilo

5. isso
6. aquilo
7. isto

8. aquilo
9. isso

10. isto
11. isso

26.3.

2. Aquilo é a escola de português.
3. Isso é o quadro da sala.
4. Isto é uma borracha.
5. Isso são canetas.

7. Isto é uma janela.
8. Isso é um dicionário.
9. Aquilo é a pasta do professor.
10. Isto é uma caneta.

Unidade 27

27.1.

2. este	5. estas	8. este	11. este
3. este	6. estes	9. estes	12. estas
4. esta	7. esta	10. esta	

27.2.

2. essas	5. esse	8. essas	11. essa
3. esse	6. essas	9. esse	12. esse
4. esses	7. essa	10. essas	

27.3.

2. aquela	5. aquelas	8. aqueles	11. aquelas
3. aquele	6. aquele	9. aquele	12. aquela
4. aqueles	7. aquela	10. aquele	

27.4.

2. Aquelas flores são artificiais.
3. Este presente é para o professor.
4. Esses óculos são da Ana.
5. Aquele supermercado é novo.

27.5.

2. Esse/este	5. Esse/este	8. Essas/estas
3. Esses/estes	6. Essa/esta	9. Esse/este
4. Essa/esta	7. Esse/este	10. Essa/esta

Unidade 28

28.1.

3. É vosso.	7. São nossas.	10. É dele.
4. São minhas.	8. É dela.	11. É seu.
5. É teu.	9. São vossas.	12. São nossos.
6. São deles.		

28.2.

2. dele	5. dele
3. dela	6. delas
4. deles	

28.3.

3. o seu carro	8. os namorados delas	13. a tua casa
4. a minha escola	9. as suas canetas	14. os filhos deles
5. o nosso quarto	10. o escritório dele	15. o vosso dicionário
6. a mala dela	11. os vossos livros	16. a nossa filha
7. os vossos amigos	12. os nossos avós	

Unidade 29

29.1.

2. no mês seguinte ia mudar para um apartamento novo.
3. se ia casar na semana seguinte.
4. não tinha tempo para preparar nada.
5. tinha tirado uns dias de férias para tratar de tudo o que era necessário.
6. eu queria ir jantar a casa dela.
7. o futuro marido dela também iria ao jantar.
8. ele trabalha (trabalhava) com computadores.
9. já tinham feito os planos para a lua-de-mel.
10. iam fazer um cruzeiro pelo Mediterrâneo.
11. partiriam logo a seguir ao casamento.
12. eu estava convidada para a festa.

2. tinhas dito que ias ao cinema.
3. Pensei que tinhas dito que o filme não tinha sido bom.
4. Julguei que tinhas dito que a Ana não gostava do João.
5. Pensei que tinhas dito que eles não se iam casar.
6. Julguei que tinhas dito que tomavas (sempre) café.
7. Pensei que tinhas dito que querias falar com eles.
8. Julguei que tinhas dito que podias ir à festa.
9. Pensei que tinhas dito que hoje à noite não ficavas em casa.
10. Julguei que tinhas dito que não tinhas chumbado no exame.
11. Pensei que tinhas dito que o empregado não era simpático.
12. Julguei que tinhas dito que não tinhas pago o almoço.
13. Pensei que tinhas dito que não tinhas gasto o dinheiro todo.

Unidade 30

30.1.

2. pensarmos
3. chegarem
4. partirem
5. estarem
6. aceitarem

7. encontrarmos
8. tomarem
9. chegar
10. irem
11. saberem

12. voltar
13. comeres
14. provares
15. receber

30.2.

2. No caso de não poder ir, telefono-lhe.
3. Apesar de não me sentir bem, vou trabalhar.
4. Depois de ires às compras, vens logo para casa.
5. Antes de comerem o bolo, têm de lavar as mãos.
6. Depois de acabares o trabalho, fechas a luz.

7. Apesar de ter um bom emprego, não está satisfeito.
8. Antes de verem o filme, deviam ler o livro.
9. No caso de não termos aulas, vamos ao museu.
10. Depois de eles saírem, arrumo a casa.

30.3.

2. até (sem)/chegar
3. para/irmos
4. por estar

5. sem/verem
6. ao abrirem

Unidade 31

31.1.

4. Lê
5. Leia
6. Leiam
7. Põe
8. Ponha
9. Ponham
10. Faz

11. Faça
12. Façam
13. Traz
14. Traga
15. Tragam
16. Despe
17. Dispa

18. Dispam
19. Vai
20. Vá
21. Vão
22. Vem
23. Venha
24. Venham

31.2.

2. fales
3. comas
4. tires
5. sujes

6. partas
7. escrevas
8. digas

9. faças
10. entornes
11. dês

31.3.

2. Vire à esquerda.
3. Come uma sandes.
4. Põe a mesa.

5. Vista o casaco.
6. Bebam um sumo.

7. Vê as palavras no dicionário.
8. Leia as instruções.

Unidade 32

32.1.
2. mais antiga do que o museu
3. mais caras do que as minhas
4. mais frio do que ontem
5. mais novo do que o irmão
6. maior do que este
7. mais rápido do que o autocarro
8. mais baratos do que aqueles
9. mais baixa do que a Joana
10. mais cedo do que tu

32.2.
2. maiores
3. mais fácil
4. melhor
5. mais perto
6. pior
7. mais comprida
8. mais leve
9. mais magra
10. mais alto

32.3.
2. maior
3. melhor
4. mais cedo
5. pior
6. mais simpático

32.4.
2. não é tão grande como Espanha
3. não joga tão bem como ele
4. não está tão quente como o leite
5. não come tão depressa como ele
6. não é tão alto como a Ana

Unidade 33

33.1.
2. cedíssimo
3. gordíssimo
4. fortíssima
5. atrasadíssimos
6. pesadíssima
7. duríssimo
8. quentíssima
9. dificílimo
10. óptimo
11. gravíssimo
12. caríssimos

33.2.
2. as melhores
3. a mais antiga
4. a maior
5. o pior
6. a mais bonita
7. o mais alto
8. as mais doces
9. o mais interessante
10. o mais popular

33.3.
3. o homem mais rico
4. o dia mais feliz
5. a rapariga mais bonita
6. o maior rio
7. os melhores alunos
8. o político mais popular
9. o pior discurso
10. a actriz mais famosa

Unidade 34

34.1.
3. tão
4. Tantos
5. tanta
6. tão
7. tão
8. tantas
9. tão
10. tanto
11. tão
12. tanto

34.2.
2. tão mau
3. empregado tão antipático
4. Que bolo tão bom
5. Que jantar tão caro
6. Que festa tão divertida
7. Que amigos tão simpáticos
8. Que sofá tão confortável

34.3.
2. tanto
3. tão
4. tão/tanta
5. tanta
6. tantas

34.4.

2. Estou com tantas dores que vou tomar um comprimido.
3. O professor fala tão depressa que não compreendo nada.
4. O dia ontem esteve tão quente que fomos até à praia.
5. A Ana estudou tanto que ficou com dores de cabeça.
6. Fizeste tanto barulho que acordaste o bebé.
7. Ele comeu tanto que não consegue levantar-se.
8. Ela sentiu-se tão mal que o marido chamou o médico.

Unidade 35

35.1.

mim	si	vocês
ti	nós	eles

35.2.

comigo	consigo	connosco
contigo	com a Ana	com eles

35.3.

2. consigo/com ele
3. com eles/comigo
4. convosco

5. comigo
6. com vocês/connosco/contigo
7. contigo

8. com ele
9. consigo/comigo
10. convosco

35.4.

2. ti
3. si/mim
4. mim

5. si
6. mim (nós)
7. ti

8. mim
9. ela
10. ti

Unidade 36

36.1.

2. te
3. a
4. o
5. nos

6. vos
7. os
8. as

36.2.

2. Tem-la visto?
3. Não o comam todo.
4. Podes guardá-la. Já a li.
5. Puseram-nos e saíram.
6. Vê-lo connosco?
7. Fechem-na à chave.
8. Ajuda-me a levantá-lo.

9. Façam-nas bem.
10. Põe-nos na pasta.
11. Também os convidámos.
12. Levem-nos no carro.
13. Encontraste-o?
14. Deixei-os na escola.
15. Fá-los em casa.

16. Gostei de ouvi-lo.
17. Aqueçam-no.
18. Tenho de lê-los.
19. Tem-nas consigo?
20. Dão-na à Ana?

36.3.

2. nos
3. te
4. vos

5. me
6. o
7. a

8. as
9. vos
10. os

Unidade 37

37.1.

2. te
3. lhe
4. lhe

5. lhe
6. nos
7. vos

8. lhes
9. lhes
10. lhes

37.2.

2. mos
3. lhos
4. lhas

5. mas
6. lha

7. lho
8. ma

37.3.

2. Vou mostrá-lo a ti
Vou mostrar-te o quarto
Vou mostrar-to

3. Ele ofereceu-os a mim
Ele ofereceu-me os bilhetes
Ele ofereceu-mos

4. Já as dei ao sr. Oliveira
Já lhe dei as informações
Já lhas dei

5. Eles contaram-na ao João
Eles contaram-lhe a história
Eles contaram-lha

6. Mandei-a à D. Maria
Mandei-lhe a encomenda
Mandei-lha

7. Demo-la ao professor
Demos-lhe a prenda
Demos-lha

8. Entregaste-os ao aluno
Entregaste-lhe os livros
Entregaste-lhos

9. Já a pagaste ao senhorio
Já lhe pagaste a renda
Já lha pagaste

10. Mostrámo-lo à Ana
Mostrámos-lhe o apartamento
Mostrámos-lho

11. Emprestei-o ao teu irmão
Emprestei-lhe o dicionário
Emprestei-lho

12. Só a contei a ti
Só te contei a conversa
Só ta contei

Unidade 38

38.1.

2. vai ser inaugurada pelo Presidente.
3. O almoço é oferecido pela Companhia.
4. O jogo será transmitido para toda a Europa pelo canal 6.
5. Os quartos já tinham sido limpos pela empregada.
6. Muitos turistas são atraídos pelo clima da região.
7. As crianças foram acordadas pelo barulho.
8. Muitos jovens têm sido contratados por essa empresa.
9. O 1º prémio foi ganho pela nossa equipa.
10. Os desenhos foram feitos pelas crianças da primária.

38.2.

2. foi visto perto da fronteira.
3. O banco foi assaltado na noite passada.
4. Os impostos foram aumentados.
5. Mais escolas vão ser construídas.
6. O hotel vai ser aberto no próximo Verão.

38.3.

2. Foi destruída
3. Foi rebocado
4. Foi assaltado
5. Foram roubados
6. Foi atacada

38.4.

2. foi ganho pela Ana.
3. Os documentos foram encontrados pelo Pedro.
4. A viagem foi oferecida pela agência.
5. As flores foram encomendadas por nós.
6. Os exercícios foram feitos por ele.
7. O artigo foi escrito por eles.
8. O vidro foi partido por ti.

Unidade 39

39.1.

2. está fechada
3. os sapatos estão limpos
4. os alunos estão informados
5. o quarto está arrumado
6. o contrato está assinado
7. a encomenda está entregue
8. a resposta está dada
9. o carro está arranjado
10. as contas estão feitas

39.2.

2. estão feitas
3. As luzes estão acesas
4. Os testes estão corrigidos
5. A mesa está posta
6. A porta está aberta
7. As pessoas estão informadas
8. O vestido está roto
9. Os documentos estão entregues
10. O cabelo está seco

39.3.

3. Já está arranjada
4. Os dentes estão arranjados
5. os exercícios estarem feitos
6. o chefe da quadrilha estava morto
7. A mesa já está posta
8. todas as pessoas já estavam salvas

Unidade 40

40.1.
2. Precisa-se de motorista.
3. Vendem-se apartamentos.
4. Compram-se roupas usadas.
5. Fala-se francês.
6. Dão-se explicações.
7. Aluga-se sala para congressos.
8. Servem-se pequenos-almoços.
9. Admitem-se cozinheiras.
10. Aceitam-se cheques.

40.2.
2. bebe-se muito vinho.
3. come-se bacalhau à consoada.
4. trabalha-se menos.
5. festejam-se os Santos Populares.
6. apanha-se o barco.

40.3.
2. Alugaram-se duas camionetas para o passeio.
3. Antigamente compravam-se mais livros.
4. Ultimamente têm-se construído muitas escolas.
5. Já se marcou a viagem.
6. Fizeram-se obras no museu.

40.4.
2. Cozem-se as batatas e depois descascam-se
3. Batem-se os ovos com o açúcar
4. Pica-se a carne e depois mistura-se com o molho
5. Arranja-se o peixe e passa-se por farinha
6. Corta-se o queijo e põe-se no pão

Unidade 41

41.1.
1. a
2. ao
3. para
4. à
5. para
6. ao
7. para
8. a/para
9. ao
10. para

41.2.
1. para/pela
2. pela
3. pela
4. pelo
5. para/para
6. para/por/pelo
7. para/pela
8. pelo
9. para/pelo
10. para

41.3.
1. de/de
2. na
3. de
4. no/de
5. do
6. do/no
7. no
8. do/no
9. da
10. do

41.4.
2. O João vai para a escola a pé.
3. Nós vamos no carro dele.
4. Eles voltam para Madrid no comboio das 20h30.
5. Eu saio de casa às 8h00.
6. Eles vão à (para a) praia de camioneta.

Unidade 42

42.1.
1. em frente do
2. à frente do
3. dentro da/na
4. debaixo do
5. entre
6. na
7. à
8. ao lado do

42.2.
1. na
2. em frente do
3. no
4. debaixo da
5. no/ao lado do
6. em cima da
7. na
8. à
9. na
10. na
11. no
12. entre
13. ao pé da
14. à
15. atrás da
16. em cima da

42.3.

1. à
2. entre
3. à
4. à/à frente do

5. entre
6. à/à frente do
7. atrás do

8. ao lado da
9. atrás da
10. ao lado da

Unidade 43

43.1.

1. a/de
2. às/da
3. na
4. no
5. na
6. nas/de
7. à

8. ao
9. em/de
10. no/do
11. à/da
12. no/de
13. na
14. em

15. de
16. às/da
17. à
18. na
19. em
20. às/da
21. às

43.2.

1. por
2. para
3. para
4. para

5. por
6. para
7. pelas

8. por
9. Para
10. por

43.3.

1. Ao
2. No
3. À/à

4. Na
5. às
6. Na

7. aos
8. No

43.4.

1. às/da/à
2. aos
3. em
4. à/às

5. aos/de
6. a/de/no/de
7. No/de

8. no/em
9. de/a
10. no

Unidade 44

44.1.

1. Quem
2. A que horas
3. De que cor
4. O que

5. Qual
6. Quanto tempo
7. Quantos

8. Quantas
9. Como
10. Onde

44.2.

2. Quanto tempo/Quantas horas demoraram
3. A que horas chegaram
4. Para onde foram
5. O que é que fizeram
6. Onde é que jantaram

7. O que é que comeram
8. Como é que voltaram para o hotel
9. Como estava a noite
10. Porque é que se deitaram cedo

44.3.

1. Onde
2. Para onde
3. Por onde
4. De onde (Donde)

1. Quem
2. A quem
3. Para quem
4. De quem

1. O que
2. Que
3. A que
4. Em que

1. Quanto
2. Quantos
3. Quantas
4. Quanto

Unidade 45

5.1.
2. alguém/ninguém
3. todo/tudo/nada
4. alguma/nada
5. todos/tudo
6. algum/nenhum

5.2.
1. nada
2. tudo
3. todos
4. todo
5. todo
6. muitas
7. Todos
8. pouco
9. Alguém
10. todo/toda/nada
11. nada
12. outra
13. Ninguém
14. Toda
15. Alguns/ninguém

5.3.
4. Não há nenhuma sala livre
5. Não está ninguém no escritório
6. Ela não arrumou nada
7. Não lhe deram nenhumas informações
8. Ele bebe pouco leite
9. Não há nenhum feriado este mês
10. As crianças não desarrumaram nada
11. Amanhã não tenho nenhum tempo livre
12. Pouca gente os conhece
13. Não visitámos nenhuns locais de interesse
14. Hoje tive pouco trabalho
15. Ninguém telefonou enquanto estive fora
16. O João acha que não sabe nada

Unidade 46

6.1.
2. que
3. quem
4. que
5. onde
6. que
7. que
8. que
9. quem
10. onde

6.2.
2. ....com o qual....
3. ....para a qual....
4. ....no qual....
5. ....dos quais....
6. ....ao qual....

6.3.
2. ...., cujas paredes são cor-de-rosa, ...
3. ...., cujos resultados foram os melhores, ...
4. ...., cuja camisola é às riscas, ...
5. ...., cuja capa é encarnada, ...
6. ...., cujo casaco é preto, ...

6.4.
2. Lisboa, cujo padroeiro é o Santo António, é uma cidade em festa na noite de 12 para 13 de Junho.
3. O empregado com quem falámos era muito simpático.
4. Passei no exame para o qual estudei muito.
5. Qual é o nome do hotel onde nós ficámos?
6. A senhora, a quem aluguei a casa, ainda está no estrangeiro.
7. A história que eles contaram era mentira.
8. Isso é uma afirmação, com a qual (eu) não concordo.
9. Viste o dinheiro que estava em cima da mesa?
10. O médico que me atendeu era muito competente.

Unidade 47

7.1.
2. sei
3. pode
4. Posso
5. consigo
6. Sabes/Sei
7. consegui (conseguiu)
8. Conheces/conheço
9. pôde
10. consigo
11. sei/consigo
12. Conhece(s)
13. pode
14. conseguimos
15. Conheço

127

47.2.
  3. Precisam de ser arranjados.
  4. Preciso de ir às compras.
  5. Precisa de cortar o cabelo.

47.3.

A

  2. Deve ser da Mary
  3. Devem estar de férias
  4. Deves estar com gripe
  5. Devo ir ver amanhã
  6. Ele deve chegar atrasado

B

  2. deviam
  3. devias
  4. Devíamos
  5. Devias
  6. devias

47.4. *
  2. Tenho de sair já
  3. tiveram de
  4. Têm de

  5. tens de
  6. Tenho de

* Qualquer destas respostas pode ter como alternativa **ter que** na forma correcta

Unidade 48

48.1.
  2. misturando bem
  3. cantando e rindo
  4. fazendo comida para fora

  5. sorrindo
  6. Dormindo pouco, ...

48.2.
  2. Esfregando
  3. Indo
  4. Carregando

  5. Copiando
  6. Caindo
  7. Falando

  8. Pedindo
  9. Comprando
  10. Trabalhando

48.3.

A

  2. vão escrevendo...
  3. vão fazendo...
  4. vão ouvindo...
  5. vão estudando...
  6. vão preparando...

B

  2. vai arrumando...
  3. vai limpando...
  4. vai estendendo...
  5. vai preparando...
  6. vai pondo...

C

  2. vou fazendo...
  3. vou traduzindo...
  4. vou arquivando...
  5. vou tirando...
  6. vou preenchendo...

Unidade 49

49.1.
  1. há
  2. há
  3. desde
  4. há

  5. desde
  6. há
  7. há

  8. há
  9. desde
  10. desde

49.2.
  2. no Porto desde Janeiro
     No Porto há 8 meses
  3. desde segunda-feira
     há 5 dias

  4. desde as 7h00
     há 5 horas
  5. desde o dia 1
     há 15 dias

49.3.
1. desde/há
2. há/desde
3. há/desde
4. há/desde
5. desde/há

49.4.
1. Não leio o jornal desde ontem
2. Chegámos há cinco minutos
3. Estudo português desde 1992
4. Vivo aqui desde Dezembro
5. A estreia foi há quinze dias
6. Estou à espera há duas horas
7. Estou há espera desde as duas horas (14 : 00)
8. Não ando de avião desde os cinco anos
9. Não ando de avião há cinco anos

Unidade 50

50.1.
2. .... há ....
3. Tem havido ....
4. .... houve ....
5. .... havia ....
6. .... há ....
7. .... houve ....
8. .... houve ....
9. Há ....
10. Há ....
11. .... há ....
12. .... haverá ....
13. .... haveria ....

50.2.
Ana: ... hei-de conhecer...
Rita: ... hás-de aprender...
Ana: ... havemos de tirar...
Rita: ... hão-de esquecer.../Hão-de divertir-se.../hão-de contar...
Ana: ... hás-de ir...

50.3.
2. .... hás-de fazer ..../.... há-de correr ....
3. .... hão-de encontrar ....
4. .... havemos de visitar ....
5. .... há-de haver ....
6. .... hei-de ir.